Y0-EDX-879

LOUISE LABÉ

ECRIVAINS

d'hier et d'aujourd'hui

10

LOUISE LABÉ

Un tableau synoptique de la vie et des œuvres de Louise Labé et des événements artistiques, littéraires et historiques de son époque.
Une suite iconographique accompagnée d'un commentaire sur Louise Labé et son temps.
Une étude sur l'écrivain par GÉRARD GUILLOT.
Un choix de jugements.
Les Œuvres complètes de Louise Labé.
Une bibliographie. Un glossaire.

EDITIONS PIERRE SEGHERS

VIE ET ŒUVRES
DE LOUISE LABÉ

ÉVÉNEMENTS LITTÉRAIRES, ARTISTIQUES
ET HISTORIQUES

(Tableau Synoptique)

DATES	VIE ET ŒUVRES DE LOUISE LABÉ
1493	Pierre Charly ou Charlieu ou Charlin épouse Guillemette, veu[ve] Jacques Humbert dit Labé ou Labbé.
1514	Mort de Guillemette.
1515	Pierre Charly épouse en seconde noces Étiennette, veuve Desc[h] alias Compagnon.
1521	
1522	Naissance de Louise Charly au mois d'avril.
1524	Mort d'Étiennette.
1525	Pierre Charly épouse en troisième noces Antoinette Taillard.
1526	
1527	
1528	
1529	
1530	
1532	
1533	Pierre Charly est un des quarante fondateurs de l'Aumône géné[rale] Lyon.
1534	
1536	Louise Labé fait connaissance de Clément Marot.
1539	
1540	

ÉVÉNEMENTS LITTÉRAIRES ET ARTISTIQUES	ÉVÉNEMENTS HISTORIQUES
ers écrits de Clément Marot nce de Jean Goujon, sculpteur,	Avènement de François Ier et bataille de Marignan.
nce de Pontus de Tyard.	Tour du monde de Magellan.
nce de Joachim Du Bellay.	
nce de Pierre de Ronsard.	Bataille de Pavie et défaite de François Ier.
e d'Etaples : *Epîtres et Evangiles*.	François Ier en captivité, prisonnier de Charles-Quint.
	Traité de Madrid.
de Machiavel.	
nce de Rémy Belleau, de Véronèse.	
nce d'Etienne Pasquier et de Brueghel.	Paix des Dames à Cambrai. Grande « rebeine » de Lyon, 29 avril.
n des lecteurs royaux, point de départ Collège de France.	Confession d'Augsbourg. Entrée des enfants de François Ier à Lyon.
nce d'Antoine de Baïf et de Jodelle. ications : Marot, *Adolescence clémen-* Arioste, *Roland Furieux*.	François Ier s'allie aux protestants allemands.
nce de Montaigne. Mort de l'Arioste. ications à Lyon : Rabelais, *Pantagruel*. , *Platon*.	Mariage d'Henri II avec Catherine de Médicis.
is publie *Gargantua*.	Fondation de la Compagnie de Jésus par Ignace de Loyola.
d'Erasme.	François Ier à Tournon. Jean Du Bellay devient lieutenant général du royaume. Confirmation royale des privilèges aux foires de Lyon. Autorisation à Turquet et Naris d'établir à Lyon une fabrique de draps de soie.
ation des *Œuvres* de Clément Marot.	
e Guillaume Budé.	

DATES	VIE ET ŒUVRES DE LOUISE LABÉ
1541	Louise Labé revoit Clément Marot lors d'un de ses passages à Ly
1542	Louise Labé a-t-elle été ou non au siège de Perpignan ?
1543	
1544	Sous la pression de sa famille, Louise Labé épouse Ennemond cordier.
1545	Louise Labé perd sa meilleure amie Pernette du Guillet.
1546	Louise Labé commence d'écrire ses premiers sonnets.
1547	Première attaque indirecte de Louise Labé par Philibert de Vien
1548	Louise Labé ne participe pas à la « magnifique entrée de Henri Lyon le 23 septembre.
1549	
1550	
1551	Mort de Pierre Charly, père de Louise Labé.
1552	Louise Labé commence à écrire son *Débat de Folie et d'Amour*.
1553	Louise Labé demande le privilège d'édition. Composition probable des *Élégies I* et *III*.
1554	Début de l'aventure avec Olivier de Magny. Le 13 mars, Labé a obtenu le privilège royal.

ÉVÉNEMENTS LITTÉRAIRES ET ARTISTIQUES	ÉVÉNEMENTS HISTORIQUES
le Jean Clouet. Naissance du Greco. t d'édition entre Michel Servet et re libraires pour une Bible en 6 vo- es.	
rs vers de Ronsard.	Siège de Perpignan par le dauphin Henry. Naissance de Marie Stuart.
ic, *De revolutionibus orbium coeles-* .	
de Clément Marot. Publication de *object de plvs havlte vertu*, de Mau- Scève.	Traité de Crépy.
la mort de sa femme du Guillet fait ier les œuvres de *Gentille et vertueuse* ette...	Début du Concile de Trente.
s, *Le Tiers Livre*. Mort de Luther. t commence les travaux du Louvre.	
tions : Marguerite de Navarre, *Poé-* Peletier du Mans, *Œuvres poétiques.* ontre Ronsard-Du Bellay.	Mort de François Ier et avènement d'Henri II. Mort d'Henri VIII d'Angleterre et avène- ment d'Edouard VI.
s Sébillet, *Art Poétique*.	Soulèvement protestant en Guyenne.
le Marguerite de Navarre. Publica- : *Défense et illustration...*, par J. Du y. *Erreurs amoureuses*, de Pontus de . Jean Goujon, *Fontaine des Inno-*	Couronnement de Catherine de Médicis, le 16 juin.
tions : Quatre premiers livres des de Ronsard. *L'Olive* de Du Bellay, l-Ange : la *Déposition de Croix*.	Naissance de Charles IX.
es luttes d'influence à la Cour entre rd et Mellin de Saint-Gelais.	Alliance d'Henri II avec les princes protes- tants allemands.
tions : *Amours*, de Ronsard. Son- de l'honneste amour, de Du Bellay. Livre, de Rabelais.	Henri II déclare la guerre au roi d'Espagne. Prise des trois évêchés : Metz, Toul et Verdun.
e Rabelais. *Amours*, d'Olivier de y.	Naissance d'Henri IV. Michel Servet brûlé vif comme hérétique par Calvin.

DATES	VIE ET ŒUVRES DE LOUISE LABÉ
1555	Louise Labé adresse à Clémence de Bourges son épître dédicato 24 juillet. Le 12 août son livre sort des presses de Jean de Tournes.
1556	Deuxième et troisième éditions des Œuvres de Louise Labé.
1557	Diffusion de la chanson anonyme de la Belle Cordière. L'imposition royale à tous les notables et marchands lyonnais pite la débâcle financière du mari de Louise Labé.
1558	Début de la retraite de Louise Labé.
1559	
1560	
1561	Mort de Clémence de Bourges, fidèle compagne de Louise La
1562	
1563	
1564	
1565	Mort d'Ennemond Perrin, époux de Louise Labé. 28 avril, tes de Louise Labé en présence de Thomas Fortini.
1566	Mort de Louise Labé, en avril.
1567	

ÉVÉNEMENTS LITTÉRAIRES ET ARTISTIQUES	ÉVÉNEMENTS HISTORIQUES
...ce de Malherbe. Publications : *Pro-* ...ies, de Nostradamus. *Solitaire Second*, ...ontus de Tyard.	Siège de Metz par Charles-Quint. Paix d'Augsbourg.
	Abdication de Charles-Quint. Avènement de Philippe II.
...de Magny, *Les Soupirs*.	Guerre contre Philippe II. Difficultés financières en France.
...de Mellin de Saint-Gelais. Ronsard ...nt prince des poètes.	Mort de Charles-Quint. Prise de Calais.
...t Jannequin publie *Verger de Mu-* ...*. Poète Courtisan*, de Du Bellay.	Premiers troubles sérieux de la Réforme à Lyon. Mort accidentelle d'Henri II. Avènement de François II. Paix de Cateau-Cambrésis.
...de Du Bellay et Maurice Scève. Pre...e édition des *Œuvres* de Ronsard ...leur totalité.	Marie Stuart, reine de France. Mort de François II et avènement de Charles IX, régence de Catherine de Médicis. États Généraux d'Orléans.
	Marie Stuart retourne en Écosse.
...tion posthume du *Microcosme*, de ...rice Scève.	Première guerre de religion. Lyon occupé par le Baron des Adrets le 3o avril.
...d Palissy, *La recette véritable*. Véro- ...*Les Noces de Cana*. Mort de La ...e.	Assassinat du duc de Guise. Paix d'Amboise. Achèvement du Concile de Trente.
...de Calvin et Michel-Ange. Naissance ...hakespeare. Ronsard, *Bergerie*.	Traité de Troyes.
...d, *Elégies et Abrégé de l'Art poétique* ...ais.	
	Naissance de Jacques Stuart, futur roi d'Écosse et d'Angleterre.
...ce de François de Sales. Publication ...remier tome de *L'Architecture*, de ...bert Delorme. Deuxième édition col...e des *Œuvres* de Ronsard.	Deuxième guerre de religion, bataille de Saint-Denis.

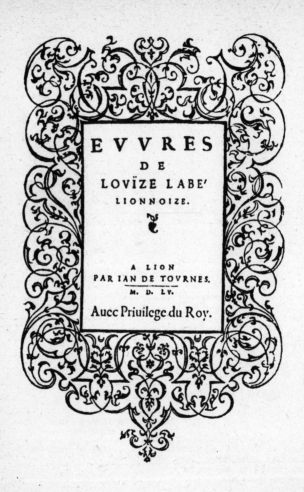

EVVRES
DE
LOVÏZE LABE'
LIONNOIZE.

A LION
PAR IAN DE TOVRNES.
M. D. LV.
Auec Priuilege du Roy.

LOUISE LABÉ ET SON TEMPS

(Suite iconographique et commentaire)

PORTRAIT DE LOUISE LABÉ

L

Il n'est pas possible aujourd'hui de dissocier le nom de Louise Labé de la « ville et communauté » de Lyon au XVIᵉ siècle. N'a-t-elle pas signé ses œuvres « Louïze Labé, lionnoize » ? Ne fut-elle pas célébrée ou calomniée par ses contemporains sous les trois initiales « L L L », ou sous le titre de « Dame lionnoise » ? Mais surtout Louise Labé, par-delà les légendes ou l'imagination de ses biographes, exprime tous les caractères de sa ville natale, qu'elle ne quitta jamais. Elle les exprime même jusque dans la similitude de sa vie avec l'histoire de Lyon au temps de la Renaissance : Louise Labé naît en effet au cours du mois d'avril 1522, au moment où, sous la poussée économique et démographique, la ville se développe, et elle meurt en avril 1566 avec le dépérissement financier et intellectuel de la grande cité rhodanienne.

LYON AU XVIe SIÈCLE. Gravure extraite de « La Saulsaye » de Maurice Scève.

Le portrait fait par Pierre Woeïriot de la Belle Cordière, et le seul fait du vivant de celle-ci (portrait qu'elle détestait, le trouvant trop laid), symbolise l'importance, la puissance et le rayonnement du Lyon de la Renaissance.

On oublie qu'il y a d'autres représentations possibles de cette capitale de l'argent et de l'esprit, par exemple cette vue de Lyon due au Petit Bernard, le premier document représentant la ville au XVIe siècle, et qui réunit la richesse et l'art (elle figure en tête de *La Saulsaye*, de Maurice Scève). C'est le dessin exact de ce que voyait Louise Labé tout enfant quand elle courait dans les jardins du domaine de la Gela où elle vit le jour, domaine qui dominait la rive gauche de la Saône.

TRANSPORT SUR LE RHÔNE, bois extrait de « Singularités des Gaules » de Claude Champier.

Lyon est à la fois un site : confluent de deux fleuves, et une situation : les routes d'Italie et de Roanne, d'Allemagne et du Midi passent obligatoirement par les deux ponts de pierre de la Guillotière et du Change. Ces voies existaient dès l'époque romaine. Au début du XVIᵉ siècle, elles deviennent des axes commerciaux. Lyon, ville-étape, s'enrichit.

Les transports se font surtout par voie d'eau; le long de la Saône et du Rhône, des auberges s'installent. On prétend même que la renommée gastronomique de Lyon date de cette époque. Les gros bateaux sillonnent la ville qui devient un lieu de passage, d'échange entre marchands de toute nationalité.

ORDONNANCES

&
PRIVILÈGES

DES FOIRES DE LYON, et Leur antiquité
Auec Les precedentes de Brie, & Champaigne.
Et Les Confirmations d'icelles, par sept
Roys de France depuys PHILIPE DE VALOIS.
Sixiesme du nom: iusques à FRANCOIS second.
à present reignant.

LE LYON ARGENTIN SOVBZ FLEVRS D'OR LILIALES

S'ELEVE DROICT MARCHANT PAR FRANCHISES ROYALES.

LES PRIVILÈGES DES FOIRES DE BARTHÉLEMY ANEAU, manuscrit autographe.

Est-ce la richesse, la prospérité ? Oui, d'autant plus que Lyon, au milieu d'un monde fragmenté par les droits et les coutumes, bénéficie d'un régime privilégié de « franchises royales ». Toutes les transactions sont libres, ce qui permet des revenus et des bénéfices plus élevés que partout ailleurs en Europe. Si les franchises sont menacées, on demande au Roi de rééditer son ordonnance concernant les « Privilèges des Foires ».

LE CONSULAT EN SÉANCE PROMULGUANT SON ORDONNANCE
SUR LE GARBEAU, miniature extraite du manuscrit de Lyon.

Mais la municipalité de Lyon, ou Consulat, tient aussi à une autre prérogative concédée par Louis XI en 1465 : le droit d'importer des épices, drogueries et produits exotiques. D'où la promulgation par ce Consulat d'une ordonnance dite du « Garbeau », qui prévoit que, même pendant la durée des foires, celui-ci a droit de visite, de contrôle et de taxation sur ces matières coloniales. Cette séance mémorable du Consulat, réuni à l'Hôtel de Ville de la rue Longue, devait faire l'objet de nombreuses miniatures ou manuscrits, car elle était le symbole de la seule restriction à la trève totale et fiscale des foires.

LE BANQUIER.

Les foires favorisent aussi les échanges de monnaie. Comme chacun avait droit, par privilège juridique (accordé aussi à la ville) de « tenir banc de change », les banques se multiplient et les banquiers s'enrichissent. Dès 1517, les premiers d'entre eux réclament, sur la place de la Draperie, l'installation d'une « bourse », alors qu'ils sont encore des marchands. Les plus importants servent d'intermédiaires entre les rois et le Trésor royal, puis lancent directement des emprunts pour renflouer celui-ci.

UN ATELIER D'IMPRIMERIE AU XVIᵉ SIÈCLE.

Les pourvoyeurs des compagnies allemandes, les revendeurs des Médicis traitent leurs affaires à Lyon. Les rois ont plaisir à séjourner dans cette ville opulente; la Cour déploie ses fastes, la vie intellectuelle s'épanouit autour de Marguerite de Navarre, femme de lettres et d'esprit, qui attire auprès d'elle les poètes.

MARQUES DES IMPRIMEURS ÉTIENNE DOLET ET GUILLAUME ROUILLE.

Lyon opte pour les formules nouvelles de l'humanisme. Ici n'existaient pas, en l'absence de Facultés, les préjugés obstinés de la scolastique et des sorbonnards ; les quatre cents ateliers d'imprimerie de la ville éditent les ouvrages les plus nouveaux : trois éditions du *Roman de la Rose* dès la fin du XVe siècle, avant Paris! Plus tard, ce sont les ouvrages célèbres des Etienne Dolet, Sébastien Gryphe, Jean de Tournes, Guillaume Rouillé, Arnoullet, Honorat... Non pas de sombres traités de théologie, mais les livres à la mode, Pétrarque, les poètes latins, les médecins grecs, les moralistes italiens, et enfin les poètes contemporains, de Maurice Scève à Louise Labé.

LISTE DES DÉTENUS A LA SUITE DE LA GRANDE REBEINE.

Mais Lyon est aussi la ville des petits artisans, des ouvriers typographes, des ouvriers de la soie. Une ville de la misère et bien souvent de la révolte. La tradition révolutionnaire lyonnaise est sans doute née le 29 avril 1529 : « esmotion et pillerie faicte le dict jour par le menu populaire en la dicte ville de Lyon. » C'est la Grande Rebeine, émeute déclenchée par la famine et par les taxes sur le vin et le pain. Les riches demeures et les greniers à pain sont mis à sac. La révolte est sévèrement réprimée. Certains émeutiers sont incarcérés à Roanne, les prisons de Lyon étant pleines... Ils sont pendus, bannis ; les plus favorisés sont condamnés à être fouettés ou à payer de fortes amendes.

La Police de l'aulmoſne de Lyon.

IMPRIME CHEZ SEB.
GRYPHIVS,
1539.

LA POLICE DE L'AULMOSNE DE LYON,
publiée par Séb. Gryphe en 1539.

    Ces terribles répressions n'empêcheront pas la naissance d'autres révoltes ni l'éclosion de grèves à chaque nouvelle augmentation du coût de la vie.

    La fondation de l'Aumône générale, en 1531, par quarante notables (dont le père de Louise Labé), n'améliorera guère la situation des « Pauvres de Lyon ». Cette organisation charitable était chargée de loger, nourrir et faire travailler les indigents de tous âges, sans oublier d'exercer sur eux un droit de police ou d'emprisonnement pour les « desobeissans et rebelles ».

L'HÔPITAL DU PONT DU RH

« Un grand nombre de pouvres tant malades que valides petis enfans cryans et huans de faim de froit nuyt et jour par la ville faisans un merveilleux ennuy par les eglises » doivent se réfugier à l'hôpital du Pont-du-Rhône, appelé aujourd'hui Hôtel-Dieu.

FRANÇOIS RABELAIS

Dans cet hôpital exerce un médecin célèbre : François Rabelais, qui trouve dans cette ville éloignée de la Sorbonne et du Parlement une sécurité qui lui permet d'écrire, et des éditeurs courageux qui publieront *Pantagruel* et *Gargantua*.

En 1532 les premiers chapitres de *Pantagruel* sont édités (sous l'anagramme Alcofribas Nasier) par Claude Nourry.

La liberté était tout à la fois relative et dangereuse pour l'écrivain Rabelais, mais la misère était immense et contagieuse pour le docteur en médecine.

HENRICVS·II·REX·FRANCO...

HENRI II, gravure de H. Liefrinck.

UNE ENTRÉE ROYALE, gravure de Perrissin.

Les rois voient-ils cette misère ? Non. D'ailleurs, on ne la leur montre pas. Depuis Louis XI, le Consulat de Lyon a pris l'habitude de recevoir magnifiquement chaque souverain, souveraine ou membre de la famille royale. Mais la plus célèbre de ces entrées royales est celle de Henri II et Catherine de Médicis. Elle dure une semaine, du 23 au 30 septembre 1548. Maurice Scève et Bernard Salomon contribuent, par leurs talents, à la réussite de ces fêtes. Défilés, arcs de triomphe, joutes, feux d'artifice, fêtes nocturnes éblouissent la ville.

Guillaume Rouillé obtint le privilège de la publication du livre relatant ces fêtes, et imprima en 1549 un très beau volume.

LA PERSPECTIVE DU CHANGE, extrait du livre commémorant l'entrée
d'Henri II à Lyon, texte de Maurice Scève.

Pendant ce temps, le « menu peuple » se divertit, boit et mange. Au
Change, on distribuait en pleine rue, gratuitement, des victuailles de toutes
sortes. Les fontaines de vin coulaient nuit et jour. Mais certains ne surent
pas résister à ces libations inhabituelles. Plus de deux mille « pauvres de
Lyon » ne survécurent pas à la semaine de fête, qui fut l'apogée du luxe et
de la richesse de Lyon.

SYMPHORIEN CHAMPIER A GENOUX OFFRE SON LIVRE A ANNE DE FRANCE, Lyon 1503.

Depuis Symphorien Champier offrant à genoux un de ses ouvrages à Anne de France, fille de Louis XI, il était de coutume à Lyon, pour les écrivains et les poètes, d'offrir leurs livres aux puissants du moment, de leur dédier leurs œuvres et de vivre dans leur sillage. Une seule exception : Louise Labé. Elle ne vécut jamais à la Cour, elle n'écrivit pas de poèmes pour le pouvoir, elle refusa, malgré les supplications de Maurice Scève, de participer ou même d'assister à l'entrée de Henri II. Ce refus était-il dicté par le dépit amoureux ? Nous laissons à d'autres le soin d'en disserter...

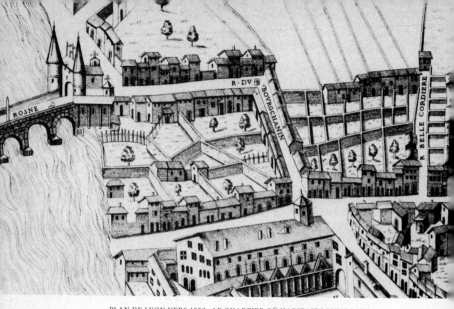

PLAN DE LYON VERS 1550 : LE QUARTIER OÙ HABITAIT LOUISE LABE.

Le document le plus complet que l'on possède sur Lyon au XVIᵉ siècle — un plan scénographique et enluminé, datant des années 1545-1550, — porte une rue Belle-Cordière, là même où demeurait Louise Labé depuis son mariage avec Ennemond Perrin. Cette rue, ou du moins cette impasse de quatre à cinq mètres de large et de cent quatre-vingts mètres de long, unissait la rue Confort à l'enceinte qui fermait le champ de Belle-Cour.

Les jardins qui entouraient la maison étaient ornés de parterres; certains de ces parterres étaient dessinés aux armes de Henri II. L'entrée de cette somptueuse demeure ne se trouvait pas rue Belle-Cordière, mais rue Confort.

IMPOSTE DE LA MAISON DE LA BELLE CORDIÈRE.
La sculpture du haut serait le portrait de Louise Labé.

On peut l'y voir encore, au numéro 28 de la rue. L'imposte, composée d'une grille, d'une tête de femme et d'une tête de faune, est attribuée à Woeïriot. On a déchiffré le monogramme de la grille, mais l'interprétation des lettres V, H, M, C, P est discutable.

La maison de Louise Labé était le lieu où se rencontraient les célébrités du monde de la littérature, des arts, ou même du métier des armes. Elle symbolise la Renaissance lyonnaise.

PONTUS DE TYARD, PAR BERNARD SALOMON.
Portrait extrait du « Solitaire second », Lyon 1555.

Dans le « salon » de la Belle Cordière se réunissaient Clément Marot, Pontus de Tyard, Pernette du Guillet, Peletier du Mans, Maurice Scève, Olivier de Magny. On a pu dire que Louise Labé a été le maillon qui a relié la Renaissance lyonnaise à la Pléiade.

Le chef de l'Ecole de Lyon : Maurice Scève, un élève qui a dépassé son maître, Pétrarque. Les principaux représentants : Pernette du Guillet ou l'angélique nature, Olivier de Magny ou la sensibilité refroidie, Pontus de Tyard ou l'amour malheureux par platonisme...

36

MAURICE SCÈVE,
extrait de sa « Délie object de plus haulte vertu », Lyon 1544.

Les personnes. { FOLIE, AMOVR,
VENVS, IVPITER.
APOLON, MERCVRE.

DISCOVRS I.

❦

FOLIE.

Ce que ie voy, ie seray la der
niere au festin de Iupiter, cu
ie croy que lon m'attent.
Mais ie voy, ce me semble,
le fils de Venus, qui y va aus
si tart que moy. Il faut que
ie le passe : à fin que lon ne m'apelle tardiue
& paresseuse.

PAGE DU DÉBAT DE FOLIE ET D'AMOUR.

Louise Labé doit à la Renaissance lyonnaise — qui a duré le temps
d'une génération — sinon l'éclosion, du moins l'occasion de ses penchants
poétiques et l'édition de son livre. Elle doit à la fortune de sa ville natale,
à celle de son père, puis de son mari, ses connaissances, ses rencontres, en
un mot sa participation à l'Ecole de Lyon. A la fortune des imprimeurs entre
Saône et Rhône, elle doit la publication de son livre, non pas du simple
point de vue matériel, mais sur le plan de l'idée qu'ils accréditent en elle :
« Cela se fait communément. »

Pourtant Louise Labé sauve sa personnalité en refusant de céder aux
caractéristiques essentielles de la Renaissance à Lyon : les influences de
Pétrarque et de ses ouvrages, dont les éditions furent nombreuses entre
1502 et 1564.

38

IL
PETRARCA.

FRANCESCO PETRAR.

IN LIONE,
PER GIOVAN DI TOVRNES.
M. D. XXXXV.

Pontus de Tyard

PORTRAIT DE JEAN DE BOURBON VENDOME PAR CORNEILLE DE LYON.

Mais la Renaissance lyonnaise ne fut pas seulement poétique. Elle s'est traduite aussi par un grand nombre d'œuvres d'art. Les influences germaniques et italiennes se combinent. Ainsi l'architecte Philibert Delorme prend-il son inspiration dans le *Quattrocento* pour édifier ses galeries de la rue Juiverie à Lyon, le château d'Anet, ou pour écrire son fameux *Traité d'Architecture*.

Et le portraitiste officiel des Valois s'installe à Lyon malgré ses origines nordiques, pour y peindre les grandes figures de la Cour selon des techniques venues de Hollande, mais il survivra dans l'histoire de la peinture française sous le nom de Corneille de Lyon.

MÉTAMORPHOSES D'OVIDE,
illustrées par Bernard Salomon pour l'édition de Jean de Tournes, 1557.

Bernard Salomon réussira à faire la synthèse de ces deux influences, à conjuguer en même temps les leçons de Holbein, des graveurs italiens et des maîtres de l'Ecole de Fontainebleau. Son œuvre : en premier lieu les décorations des entrées royales, puis des illustrations de livres, dont la pièce maîtresse est la *Métamorphose d'Ovide illustrée* ; enfin, des dessins et des peintures parmi lesquelles une importante série sur bois, traitant aussi du même sujet des *Métamorphoses*, provenant sans doute du château de la Batie d'Urfé avant d'appartenir à l'actuel collectionneur.

PLAT DÉCORÉ, MILIEU DU XVIᵉ.

La présence toute proche de l'Italie se faisait sentir également dans un autre domaine : celui de la céramique et de la médaille. Les élèves des maîtres céramistes de Gubbio, Faenza et Caffagiolo viennent travailler entre Rhône et Saône, tandis que Jacques Gauvain et Jérôme Henry font progresser l'art de la médaille ou des monnaies.

Cependant la prospérité intellectuelle et artistique est liée à la prospérité économique. L'une et l'autre auront entre 1520 et 1560 la même courbe, ascendante puis descendante.

RELIURE D'UN DES DERNIERS LIVRES D'HEURES DE LYON, début du XVIe.

S Aluator mūdi salua nos oēs

sctā dei genitrix sep ỹgo maria

IMPRESSION MUSICALE DE JACQUES MODERNE, 1557.

Cependant, l'apport de la Renaissance lyonnaise à la science paraît très modeste comparé à la richesse littéraire et artistique. Mais on peut souligner l'esprit pratique des Lyonnais d'alors, que révèlent des ouvrages aussi divers que *L'Arithmétique* de Jean Tranchant, l'*Histoire des Plantes de Lyon* de Jacques Dalechamp, ou le traité sur l'impression musicale de Jacques Moderne, le premier imprimeur de musique profane.

LE TEMPLE DE PARADIS, UN DES TROIS TEMPLES PROTESTANTS AUTORISÉS EN 1563.

Dans ce monde intellectuel, les idées de la Réforme religieuse se propagent rapidement. Ecrivains, éditeurs, libraires se font les propagandistes des idées nouvelles. La paix religieuse régnera cependant quarante ans, mais en 1562, à la suite de la prise de la ville par le baron des Adrets, des émeutes sanglantes éclatent. Les églises sont saccagées. Pendant un an, la ville est livrée au « Règne de l'Evangile ». Les protestants sont « forts en la cité » ; ils bâtissent des temples pour y célébrer leurs offices. Le Temple de Paradis demeurera après la paix d'Amboise en 1564.

CAROLVS NONVS DEI GRATIA FRANCORVM REX
CHRISTIANISSIMVS

CHARLES IX, par H. Liefrinck.

LA DESTRUCTION DE SAINT JEAN,
aquarelle anonyme du XVIᵉ siècle.

Trois ans plus tard, la réaction catholique est excessive. Les temples sont détruits. Le nombre des victimes de la Saint-Barthélemy lyonnaise, le 1ᵉʳ septembre 1572, se situe autour de dix-huit cents. L'Edit de conciliation expédié par Charles IX en 1568 pour réorganiser la ville est resté lettre morte. L'adhésion à la Ligue, sans cesse remise en question, achèvera de ruiner la gloire de Lyon.

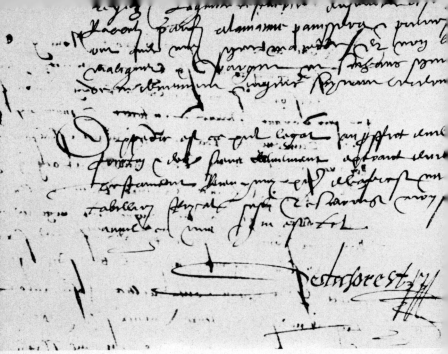

LE TESTAMENT DE LOUISE LABÉ.

Le commerce est ruiné, il n'y a plus qu'une seule banque, les protestants ont fui, les imprimeurs ont fermé leurs ateliers. Et la peste dévaste la ville, déjà ravagée par les massacres des guerres de religion. En 1565, Ennemond Perrin meurt. L'année suivante, réfugiée à Parcieu par crainte des représailles et des épidémies, Louise Labé dicte son testament. Elle ne survivra pas à ce qui la fit taire — l'intolérance des huguenots et des pieux catholiques — ni aux malheurs de sa ville. La maladie de la peste l'emporte. Lyon et Louise Labé sont morts dans la solitude et l'abandon.

LOUISE LABÉ ET SON ŒUVRE

par

GÉRARD GUILLOT

ESCRIZ DE

diuers Poëtes, à la louenge de
Louïze Labé Lion-
noize.

Εἰς ᾠδὰς Λοΐσης Λαβαίας.

Τὰς Σαπφῦς ᾠδὰς γλυκυφώνε ἃς ἀπόλεσεν
  Ἡ παμφάγε χρόνε βίη,
Μαλιχίῳ Γαφίης κὴ ἐρώτων νῦν γὲ Λαβαίη
  Κόλπῳ τραφεῖσ' ἀνήγαγε.
Εἰ δ' ἔ τις ὡς καινὸν θαυμάζει, κὴ πόθεν ὅδὶ,
  Φυσὶμ, νέη ποιήτρια;
Γνοίη ὡς γοργὸν, κὴ ἄκαμπτον, δυσυχίεσσα
  Ἔχει Φάων ἐρωμένον·
Τε πληχθεῖσα φυγῆ, λιγυρὸν μέλος ἦρξε τάλαινα
  Χορδαῖς ἐναρμόζειν λύρης.
Σφοδρὰ ἢ πρὸς ταύτας ποήσεις οἷσ' ἐνίησε
  Γαιδῶν ἐρᾶν ὑπερηφάνων.

De Aloysæ Labæ osculis.

Iam non canoras Pegasidæ tuæ
  Assuesce votis: nil tibi Cynthius
  Fontisue Dircæi recessus
  Profuerint, vel manis Euan.

I

« Louise Labé, courtisane lyonnaise... » Depuis Philibert de Vienne en 1547, ce jugement de dictionnaire empoisonne la vie et l'œuvre de celle qu'on appela et qu'on appelle encore « La Belle Cordière ». Biographies, études, éditions, traductions même (elles se multiplient actuellement à un tel rythme et ceci dans toutes les langues qu'il serait vain de vouloir toutes les mentionner) ne commencent jamais sans ces mots. Au point qu'exégèses et commentaires sont uniquement consacrés à « bâtir » une réponse valable à la question : fut-elle ou non une courtisane ? Ces recherches et ces débats ont donc masqué l'œuvre, et l'ont fait oublier aux lecteurs. Un Flamand, Luc Van Brabant, ne date-t-il pas les épisodes amoureux de la vie de Louise Labé en déchiffrant les anagrammes cachés derrière ses vers ou derrière ceux de Marot, Olivier de Magny... Quant à Dorothy O'Connor, auteur de l'ouvrage universitaire le plus « scientifique », tout en affirmant qu'il faut « séparer la cause de la poésie de celle du poète », elle consacre à la vie de la grande poétesse de la Renaissance plus de la moitié de sa thèse. Aujourd'hui encore, dire que l'on s'intéresse à ce brillant représentant de l'Ecole lyonnaise, c'est immanquablement s'attirer l'interrogation : « Alors, à votre avis, eut-elle beaucoup d'amants, et parmi eux Henri II ? » D'autres demandes sont plus avides de détails scabreux.

Mais si depuis un siècle les remarques favorables à la vertu de Louise Labé sont plus nombreuses que les récits scandaleux de son existence agitée, il n'en reste pas moins vrai que ces dernières années, Lyon a refusé de baptiser du nom de son plus grand écrivain un lycée de jeunes filles; et qu'aujourd'hui encore seule une mince rue de la cité rappelle uniquement par son surnom familier et galant, l'illustre Lyonnaise dans le quartier où elle vécut.

Il faut donc dire ici, et en commençant, pour décevoir au plus vite les censeurs et les amateurs de vies licencieuses, que l'étiquette « courtisane lyonnaise » ne nous concerne pas et ne nous préoccupera pas directement. Et comme notre propos n'est sous-tendu ni par une morale plus ou moins religieuse, ni par un faux érotisme, ce qui compte pour nous, ce qui est essentiel, premier, c'est l'œuvre. Quatre cent sept ans après sa première publication, une œuvre à lire et à relire, mais ravie aux goûts des baisers et des soupirs d'alcôves.

Oui, une œuvre enfermée dans les pages d'un seul recueil, mais dont l'originalité, la richesse et la passion tiendront lieu d'ampleur et de souffle. Et qui se ferait contemporaine. Un débat, trois élégies, vingt-quatre sonnets, le tout annoncé par un écrit dédicatoire : prose et poésies qui sont celles d'une femme acceptant sa féminité et se libérant parce qu'elle assuma son corps et son sexe. Une œuvre aussi qui serait celle d'une femme, mais dans une ville particulière : Lyon, alors bouleversée par des changements dont elle ne mesure pas l'importance. Et comme nous ne croyons pas à l'éclosion du génie solitaire, nous lirons cette œuvre comme celle d'une femme ayant vécu à Lyon au temps de la Renaissance.

Nous la lirons aussi comme une poésie d'aujourd'hui, et en même temps comme le témoignage d'un moment clé de l'his-

52

toire amoureuse. Si bien qu'ensemble, nous pourrons nous demander si Louise Labé n'incarnait pas un idéal en 1555 et ne continue pas à l'incarner ?

Sans doute, de telles réflexions n'iront pas sans des appréciations contraires. Pour un grand nombre, en effet, il est illusoire d'étudier les œuvres de Louise Labé en les isolant du siècle qui les vit naître comme autant de spécimens d'un cœur féminin. Pour d'autres, replacer cette femme dans le cadre qui lui est propre, Lyon au temps de la Renaissance, c'est obligatoirement lier chacun de ses vers aux circonstances de sa vie.

Nous ne méconnaissions pas ces difficultés. Mais pour Louise Labé, nous avons tenté de nous y soustraire. Nous avons avant tout désiré arracher Louise Labé à ses contemporains hypocrites et à ses biographes actuels discutant à longueur de thèses non pas sur les faits mais sur leur interprétation... Rendre donc à la poétesse non pas sa vie possible de 1522 à 1566, ni « sa » vie légendaire, mais une existence réelle et véritable. En d'autres termes nous voulons la considérer comme un écrivain surgissant aujourd'hui parce qu'il écrirait aussi audacieusement aujourd'hui, et non pas comme une gloire issue de quelques sonnets se répercutant d'anthologies en éditions partielles.

Cependant, nous souhaitons montrer aussi qu'à la Renaissance le monde était en bascule et les esprits en attente. Ce qui est une autre manière d'actualiser le livre de Louise Labé. Il faudrait, comme en 1555, le lire comme si pour la première fois nous découvrions le bonheur et le malheur d'exister, comme si nous transportions les troubles de l'amour sur d'autres plans que les conventions et les habitudes. Tout cela signifie aussi que le recueil de la Dame lyonnaise n'est pas la conséquence d'une série de dérèglements personnels, ou la compensation d'une existence qu'elle regretta calme et rangée. Dans un tel cas, il n'y aurait eu dans cette école lyonnaise du XVIᵉ siècle qu'un versificateur de plus. Il y eut un poète, il y a un grand poète.

Ne craignons pas de le répéter : Louise Labé, une voix voluptueuse à écouter aujourd'hui, à entendre hier comme demain. Qu'importent alors quelques amants dépités et jaloux, si autour d'elle se pressent maintenant des milliers d'amoureux secrets et cachés.

II

Le 12 août 1555, paraissait donc à Lyon chez l'imprimeur-éditeur Jean de Tournes un petit volume de cent soixante-treize pages, les *Evvres de Lovïze Labé Lionnoize*. L'année suivante, deux nouvelles éditions sortaient des mêmes presses, mais avec la mention « revues et corrigées par ladite Dame ». Et ces deux éditions de 1556 contenaient le privilège royal. Pur élan d'elle-même, une œuvre véritable, authentique, jaillissait dans ce monde littéraire de la Renaissance, ou plus exactement dans le monde littéraire métamorphosé par la Renaissance. Mais l'œuvre explosait aussi d'éternité amoureuse. Elle explose encore : en quatre siècles, partiellement ou en totalité, elle a été réimprimée une trentaine de fois tant en France qu'à l'étranger.

A mesurer le trouble que l'on ressent aujourd'hui en lisant dans le calme austère d'une bibliothèque ce que contient cet unique recueil, on imagine aisément ce qu'il put signifier pour les contemporains de la Belle Cordière. La nervure qui fait saillie sur le dos plein du petit volume au creux de la main gauche, les pages un peu lourdes qui glissent lentement sous les doigts de la main droite, ce devait être déjà l'embarquement... Voyage dans un pays inconnu où pour la première fois les amours ne se fanaient pas comme des fleurs, mais ne reprenaient pas vie dans le parfum d'un souvenir; voyage dans une contrée où les lèvres se tendaient en même temps que le sang battait les tempes; voyage pour aborder en des terres nouvelles régies par les lois de l'amour physique et de la possession de l'être aimé. Des terres d'où Laure était irrémédiablement chassée. Et au retour de ces voyages, la vie était changée.

On a souvent dit qu'avant 1549, date de la publication chez Arnoul l'Angelier de *La defense et illustration de la langue françoyse*, la poésie était une suite d'idées obscures, un mariage béat de mots et de rimes, et des assonances de sentiments, tandis qu'entre les épigrammes et les allégories courait le naissant, mais déjà académique, italianisme. Or la Dame lyonnaise enseignait davantage. Avec elle la poésie se révélait une façon d'exister, une manière de nommer les êtres et les choses, de participer à la vie, à ce qu'il y a en eux et en elle de plus mystérieux, de plus passionné, de plus douloureux. Une expérience devenue regard, geste, sang, et communiquée par des moyens d'autant plus subtils qu'ils étaient plus instinctifs. En un mot c'était la révélation d'un poète, c'était la révélation de la poésie.

Un tel miracle peut se renouveler tous les jours, à tous les âges et sous toutes les latitudes. Alors, aujourd'hui, simplement, feuilletons ensemble ce petit volume. Feuilletons-le avant de savoir la date de naissance de Louise Labé. Abordez-vous une jolie femme en commençant par lui demander son âge ? Et ne saurons-nous pas toujours trop tôt qu'elle est morte de la peste ?

★

Les *Evvres de Lovïze Labé lionnoize* débutent par un écrit dédicatoire à « A.M.C.D.B. », et daté du 24 juillet 1555 à Lyon. Ces initiales ne cachent pourtant pas une énigme; elles signifient simplement : « A Mademoiselle Clemence de Bourges », une amie très chère de Louise Labé. L'édition de 1556 porte les initiales « A.M.C.D.B.L. » le « l » signifiant lyonnaise.

Présentation de ses écrits, besoin de se faire parrainer, occasion d'affirmer ses idées, ou nécessité de se justifier, on discute encore aujourd'hui des mobiles qui décidèrent Louise Labé à placer ce texte en prose à l'ouverture de son livre et à le dédier à une de ses amies. De fait, le contenu de cet écrit ne permet pas de choisir l'une ou l'autre de ces hypothèses. Mieux même, il satisfait les quatre possibilités; et ces quatre-là seulement, car il est difficile de suivre Alain Bosquet quand il affirme que « ces initiales préviennent de la détermination à supprimer, là où Louise Labé le peut, les dates, les lieux, les noms ». Mais lisons.

Ce qui frappe d'abord, c'est la déclaration de l'auteur : ces écrits de jeunesse « je n'y cherchais autre chose qu'un honnête passe-temps, quelques-uns de mes amis ont trouvé le moyen de les lire sans que j'en susse rien... et ils m'ont fait croire que je devais les mettre en lumière ». Texte important qui situe les œuvres à venir et qui sera utilisé pour les dater. Texte donc que Louise Labé pouvait juger indispensable. Mais il est à remarquer cependant qu'une telle présentation répète ce que contient le *Privilège du Roy* daté du 13 mars 1554 : « Avons reçu l'humble supplication de notre chère Louise Labé lyonnaise contenant qu'elle aurait depuis longtemps composé quelque Dialogue de Folie et d'Amour, ensemble plusieurs Sonnets, Odes et Epîtres, que quelques-uns de ses amis lui auraient soustraits, et bien qu'imparfaits, publiés en divers endroits. Et, doutant que quelques-uns ne les veuillent faire imprimer ainsi, elle, les ayant revus et corrigés à loisir, les mettrait volontiers en lumière, afin de supprimer les premiers exemplaires... » Malgré des recherches considérables et de divers érudits, jamais trace de ces publications anticipées ne fut retrouvée. Mais le fait que les amis de Louise Labé aient fait circuler dans leur entourage et dans le sien, et à l'insu de l'auteur, quelques-uns de ces textes, demeure sans doute exact.

Parlant d'ailleurs de ses amis, la Belle Cordière ajoute dans sa présentation : « Je n'ai pas osé les éconduire, les menaçant seulement de leur faire boire la moitié de la honte qui en proviendrait. » Quelle honte risquait de couvrir l'auteur de ces écrits ? Celle de mettre au grand jour sa sincérité, ou celle de paraître seule en public ainsi qu'elle le dit à Clémence de Bourges en écrivant : « Je vous ai choisie pour me servir de guide. » Un guide... ne serait-ce pas plutôt une jeune marraine ? Clémence était en effet la fille de Claude de Bourges, lieutenant général des Finances du Piémont et seigneur de Mions en Dauphiné. Et grâce à son père, ce lieutenant de haut lignage, Clémence de Bourges était donc admirée et respectée. Du Verdier, dans sa bibliothèque, ne la nommait-il pas « la perle des Demoiselles lyonnaises de son temps » et de Rubys dans son Histoire de Lyon « une perle vraiment orientale ». Une telle caution, augmentée encore de l'affection réelle qui unissait Clémence à Louise, devait s'avérer bienfaisante pour la poétesse et pour ses écrits. En avait-elle besoin, en exigeaient-ils l'ordonnance ? Ou, plus ordinairement, la Belle Cordière cherchait-elle l'accord d'une Dame pour développer ses idées nouvelles ? Là encore, qui parviendrait à trancher en toute objectivité ?

Ces « idées nouvelles » pourraient en effet fournir la matière d'un chapitre de l'histoire du féminisme. Toujours dans l'épître dédicatoire, Louise Labé écrit, sûre d'elle-même, et un rien sentencieuse : « Je ne puis faire autre chose que prier les vertueuses Dames d'élever un peu leurs esprits par-dessus leurs quenouilles et fuseaux », soulignant aussi qu'elles ne doivent pas « dédaigner la gloire ». Ces revendications, sans doute, Marguerite de Navarre les eût-elle joyeusement accueillies.

Reine trop tôt disparue, elle ne pouvait pas recevoir cette sorte d'hommage, et c'est à Clémence de Bourges que Louise Labé a confié son programme d'éducation, un programme qui dépasse de très loin les tours outranciers des suffragettes, et sur la portée sociale duquel nous aurons l'occasion de revenir.

Sur la nécessité de se justifier aussi, les biographes ont longuement insisté. Pour beaucoup d'entre eux, la dédicace à Clémence de Bourges recommandable et environnée de l'estime générale devait faire taire tous ceux qui mettaient en doute les mœurs de Louise Labé. En fait, si un tel souci avait pu exister pour la Belle Cordière, le grand nombre de textes et poèmes réunis à la fin de l'ouvrage sous le titre *A la louange de Louise Labé* rendait inutile une telle précaution.

Rien ne permet donc de conclure sur ce qui a conduit la Dame lyonnaise à publier ce texte. Mais ce qui a conduit l'affirmation qu'il autorise : Louise Labé était non seulement un poète capable de traduire ses émotions les plus charnelles, mais encore un écrivain proposant un idéal de vie, idéal contenu dans des formules que n'auraient pas reniées Molière ou les moralistes du XVIIᵉ siècle.

Cet écrivain, il manifeste également son autorité dans l'œuvre en prose qui suit l'épître : *Le Débat de Folie et d'Amour*. Et ces deux textes ajoutés occupent dans le petit volume dont nous poursuivons la lecture, trois fois plus de place que les poésies. Pourtant quatre sur cinq des critiques ne parlent aujourd'hui que de ces dernières, comme s'ils voulaient faire oublier qu'avant Paradin, ce *Débat* fut la seule œuvre citée et commentée.

Louise Labé, elle-même, a livré « l'argument » de son *Débat*; préférablement, je dirais le « prétexte ». Résumons :

aux portes du palais de Jupiter où les dieux sont convoqués par le Maître pour un grand festin, l'Amour et la Folie se disputent la préséance. Et le conflit est si grave que la Folie aveugle l'Amour en lui crevant les yeux. Devant le conseil des dieux, l'affaire est aussitôt portée. Apollon plaidera pour l'Amour, et Mercure pour la Folie. Mais l'auteur a laissé le soin de connaître par la lecture la suite et la fin de ce *Débat* qu'elle a baptisé, nous l'avons vu, *Dialogue* dans le privilège royal. La conclusion, c'est-à-dire la sentence du Roi des dieux, une phrase la condense : « Et guidera Folie l'aveugle Amour, et le conduira partout où bon lui semblera. » Voici donc ce qu'apparemment offre le *Débat*, et ce à partir d'un dialogue entre six personnages : Folie, Amour, Vénus, Apollon, Mercure et Jupiter. J'ai dit prétexte car il y a un « motif ». Il est en effet remarquable de voir qu'au-delà de l'exposition d'une querelle et du récit de sa solution, Louise Labé, comme l'a écrit Emile Henriot, « brode à ravir sur l'amour, le platonisme, la galanterie, et les bienséances... et lève aussi avec un grand bon sens l'étendard des revendications féminines les plus fortes... » Si ce second thème rejoint les idées énoncées dans l'épître, le premier, par contre, transforme justement le *Débat* en un essai sur l'amour, essai au sens moderne du terme, et aussi profondément original qu'extrêmement révolutionnaire.

Original... ? Il n'a pas été possible de découvrir dans la littérature antérieure, fût-elle grecque ou latine, un exemple de ce mythe de la Folie et de l'Amour. Avec O'Connor, nous soutiendrons donc que Louise Labé a totalement inventé son récit. S'est-elle référée au *II⁰ Dialogue des Dieux* de Lucien ? Rien ne permet de l'affirmer. A-t-elle pris chez Erasme l'idée de représenter la Folie sous les traits d'une jeune déesse, et d'en faire une fille de la Jeunesse ? Les chercheurs s'interrogent encore pour déterminer si Louise Labé eut l'occasion de lire

L'Eloge de la Folie en latin dans l'une des cinq éditions qu'en fit Sébastien Gryphe à Lyon entre 1511 et 1529, ou si elle n'en connut que la très fausse et très approximative traduction de Galliot du Pré, parue à Paris en 1520, sous le titre *De la déclamation des louanges de Folie.* Dans ce dernier cas, son emprunt à Erasme serait pratiquement impossible. O'Connor ajoute aussi, et parce que cet auteur était très influent dans les milieux de la « Brigade », que Louise Labé a pu s'inspirer de l'ouvrage d'Asolain de Bembo *De la Nature d'Amour,* traduit et publié à Paris en 1545. Mais, de toutes les manières, on ne saurait contester à Louise Labé le bien propre du plan, de la composition, et de la fable de ce si sublime *Débat.* En 1555, son inédite exclusivité n'est voilée d'aucune ombre.

Original, le *Débat* l'est aussi dans la forme. Est-il conte, ou comédie ou satire ? Au XVIᵉ siècle l'importance distinctive de ces mots ne signifie rien. Aujourd'hui je le nommerai « un long poème en prose ». Du poème en prose ce texte a la phrase brève, vive, brusque, qui se dérobe devant la rigide fabrication. Et derrière et par-dessus les mots, il révèle comme un poème les significations essentielles. Du poème en prose, il possède aussi la force récitative et une certaine qualité dramaturgique qui, en 1555, devait rappeler Ovide ou Horace et sans le savoir annoncer Voltaire ou Marivaux; de telle sorte que l'on peut voir en ce *Débat* l'ancêtre très lointain du *Gaspard de la Nuit* d'Aloysius Bertrand, ou des apologues de Gide, Max Jacob ou René Char. En cela, le *Débat* serait aujourd'hui aussi original qu'il a pu l'être au moment de sa publication. De plus, et dans cette perspective, il me paraît impensable de suivre ceux des commentateurs qui ont découvert l'origine du texte de Louise Labé dans le débat médiéval ou mieux dans le « conflictus » latin, les bases de ces deux formes prosodiques étant plus populaires ou moins allégoriques. Par contre, un autre rapprochement pourrait peut-être s'avé-

rer plus exact : le *Débat* (mais dans la formulation seulement)
s'apparenterait aux *Eglogues* de Virgile avant de préfigurer
celles de Ronsard, pour son érudition, pour ses références mythologiques et latines. Enfin, une seule remarque suffira, je
pense, à anéantir la calomnie de Pierre de Saint-Julien dans
ses *Gemelles ou Pareilles recueillies de divers auteurs tant
grecs, latins que français* (à Lyon en 1584), calomnie selon
laquelle le *Débat* serait en grande partie l'œuvre de Maurice
Scève : la différence de style. La prose du *Débat* est limpide-
ment pure, et chaste malgré des mots drus qui n'apparaissent
vulgaires qu'à nos mentalités faussement policées d'aujourd'hui.
Elle est également caressée d'une sorte non pas d'humour,
mais de fantaisie, d'espièglerie. Quelle est l'œuvre de Scève
qui a cette limpidité, cette virginité, cette gaieté ? Des *Blasons*
au *Microcosme* en passant par *Délie*, cette œuvre est au contraire amplement compliquée, cultivant la tristesse et le symbole expressif et naturaliste, guettant le mysticisme jusque dans
l'allégorie, au point qu'elle a entraîné d'éminents critiques à la
rapprocher de Mallarmé ou des auteurs décadents. On pourrait
encore ajouter pour exclure définitivement toute collaboration de
Scève au *Débat* de la Belle Cordière, que celui-ci prônait trop
l'union spirituelle dans l'amour pour accepter un seul instant
de se plier aux mouvements, indisciplinés pour lui, d'une prose
faisant l'apologie de la « charnelle réciprocité amoureuse ». Mais
ces différences sont loin d'exclure toute beauté à l'œuvre de
Maurice Scève. Simplement l'émotion s'affirme dans un autre
registre.

On ne manquera pas, par ailleurs, de s'interroger sur la
date de composition du *Débat*. Selon l'épître dédicatoire et le
privilège royal, il est possible de fixer sa composition à
l'année 1552. En premier lieu le privilège de 1554 le mentionne.
Secondement, il annonce ou préfigure les idées féministes que
Louise Labé développera dans l'épître de 1555. Mais surtout sa

« mise en scène », pour reprendre une expression contemporaine, emprunte son organisation principale aux procès, aux méthodes judiciaires, aux formules des tribunaux et à la procédure même des cours de justice : toutes connaissances ou formes que Louise Labé n'a pu apprendre qu'auprès de maître Fortini, cet aimable et richissime conseiller italien qu'elle rappellera auprès d'elle dans les dernières années de sa vie. Or, pour le *Débat*, maître Fortini n'a pu l'instruire qu'après son arrivée à Lyon en 1551.

Enfin l'ingéniosité de la fable, la maturité des réflexions sur l'amour, et maturité désabusée, ou encore l'infinie connaissance des rapports entre les hommes et les femmes, indiquent une expérience qui, pour la Belle Cordière, fut l'écriture des premières poésies. De même on ne retrouve plus dans le *Débat* ces maladresses qui sont dans les sonnets celles de la sincérité immédiate et de la passion brûlante. Le style a la simplicité du métier et le pittoresque de la technique rigoureuse et bien au point. Voltaire entre autres, mais grand connaisseur dans le genre, pouvait écrire dans ses *Questions sur l'Encyclopédie* à l'article Fable : « La plus belle fable des Grecs est celle de Psyché, la plus plaisante fut celle de la Matrone d'Ephèse. La plus jolie parmi les modernes fut celle de la Folie, qui, ayant crevé les yeux à l'amour, est condamnée à lui servir de guide. » Pensait-il directement à l'œuvre de Louise Labé, ou pensait-il à la fable de la Fontaine : *L'Amour et la Folie* ? Si l'on en juge par Jean-Jacques Rousseau qui ne mentionna jamais la Belle Cordière, ne connaissant pas son œuvre, il est permis de croire que Voltaire jugeait le grand fabuliste. Mais on sait que celui-ci vola sans pudeur ni réserve, le mythe inventé par la poétesse lyonnaise. Il ne fut pas à vrai dire le seul imitateur. En 1782, Desfontaine déguise le *Débat* en un vaudeville vulgaire. Cela accéléra sa plongée dans l'oubli.

Une première lecture a donc révélé une œuvre profondément originale. Une seconde en accentuera le côté « révolutionnaire ». L'œuvre est en réalité déjà révolutionnaire du fait même de son originalité. Etre « original » autour des années 1555, et sous la dictature du pétrarquisme, est non seulement tenu en piètre estime, mais encore considéré comme une sorte de sacrilège. Etre original, c'est donc s'opposer à l'ordre établi, c'est être, par définition, révolutionnaire. Mais révolutionnaire, le *Débat* l'est surtout parce qu'il donne le premier rôle à l'Amour, et non au sentiment de l'Amour. Il glorifie son triomphe. « Otant l'amour, tout est ruiné » écrit Louise Labé pour qui « celui qui fait multiplier les hommes, vivre ensemble et perpétuer le monde » est le mobile de tout et le mobile normal et vital, ce qui évidemment est fort loin de cette union idyllique de l'âme et du corps, chère à Pétrarque. Mais ici encore nous anticipons sur nos réflexions.

Révolutionnaire, le *Débat* le sera enfin par la séparation qu'il marquera du sacré et du profane. Non seulement il ne fait aucune mention de morales ou de dogmes religieux, mais encore il semble rejeter la moindre méditation sur le temps, l'espace et l'éternité. Il est « païen » et il l'est plus par aventure conquérante de l'esprit et projection vers l'avenir que par une soumission nouvelle aux traditions antiques. Inutile de dire qu'un tel hymne aux déesses charnelles déclencha les fureurs conjuguées des censeurs catholiques et des doctrinaires protestants. Mais là aussi nous anticipons.

D'ores et déjà, et seulement après la lecture du *Débat de Folie et d'Amour*, une conclusion s'impose : Louise Labé, un écrivain à ne pas oublier parmi les grands prosateurs du XVIe siècle.

A la suite de ce *Débat*, et précédant les *sonnets*, dans le livre unique de Louise Labé, unique comme si elle avait voulu publier d'un seul coup ses œuvres complètes : *les élégies*. Trois élégies relativement courtes, et hélas! trois, seulement dirons-nous après tous les admirateurs de Louise Labé dès les premiers vers.

> *Au temps qu'Amour, d'hommes et Dieus vainqueur,*
> *Faisoit bruler de sa flamme mon cœur*
> *En embrasant de sa cruelle rage*
> *Mon sang, mes os, mon esprit et courage...*

Mais lire ne suffit plus. Recevoir et donner deviennent indispensables. Et ce double mouvement pourra seul exprimer notre cheminement ébloui au cœur de ce que le solennel Emile Faguet appelait « les plus beaux vers passionnés du monde ». Recevoir et donner, car le poète est aussi totalement présent à lui-même qu'il est présent à autrui, et parce que s'interpénétrent et se renforcent toujours les actes de celui qui écrit, de celui qui lit et l'acte d'existence du « fait écrit ».

Présent à lui-même le poète : il est hors de doute que l'on doive considérer ces élégies comme une sorte de « journal intime » de la Belle Cordière, étant entendu qu'un journal intime est aussi fait pour être publié :

> *Je n'avois vu encore seize Hivers*
> *Lors que j'entray en ces ennuis divers :*
> *Et jà voici le treizième Esté*
> *Que mon cœur fut par Amour arresté...*

Y a-t-il aveu plus spontanément direct ? Et cette confidence est si frémissante, ce secret si considérable qu'aujourd'hui encore ces quatre vers sont le point de départ de toutes les polémiques sur la date de naissance de Louise Labé. Mais ils

témoignent d'une autre manière plus sûrement. Car si le « je »
est encore lyrique chez Louise Labé, ici pourtant aucune trans-
position ne peut s'opérer : le miracle poétique ne permet pas
d'explorer notre propre existence dans l'existence du poète;
« je » n'est pas encore l'autre!

Est-ce si nécessaire d'ailleurs ? Le poète s'adresse directement
aux autres, en l'occurrence celles pour qui la Belle Cordière
semblait vouloir écrire « Les Dames Lyonnaises ».

> *Quant vous lirez, ô Dames Lionnoises,*
> *Ces miens escrits pleins d'amoureuses noises,*
> *Quand mes regrets, ennuis, desprits et larmes*
> *M'orrez chanter en pitoyables carmes,*
> *Ne veuillez point condamner ma simplesse,*
> *Et jeune erreur de ma fole jeunesse,*
> *Si c'est erreur...*

Et plus loin :

> *Tu penses donq, ô Lyonnoise Dame...*

Mais ces apostrophes aux femmes de Lyon, comme si elles
voulaient reprendre les conseils donnés dans l'épître aux mêmes
Dames, ou préparer les interpellations plus précises des sonnets, ne sauraient pas dépasser le stade des excuses déguisées.
Louise Labé bouscule tellement les normes et les conventions
dans cette mise à nu de son cœur et des luttes de sa chair
qu'elle est obligée pour le faire de s'entourer de cautions (nous
l'avons vu) et ici de précautions oratoires. De nouveau il faut
qu'elle se justifie, qu'elle se disculpe en affirmant que tout ce
qui lui arrive, que les plaisirs et les peines de l'amour ne sont
que banalité, vie naturelle, mieux même, maux nécessaires. D'où

66

sa conclusion qui semble une évidence : chaque cœur féminin est à la merci des flèches de Cupidon :

> *Quelque rigueur qui loge en votre cœur*
> *Amour s'en peut un jour rendre vainqueur.*
> *Et plus aurez lui esté ennemies,*
> *Pis vous fera, vous sentant asservies...*

Pourtant ce « prière d'insérer » dissimule le véritable lecteur de ce journal intime. Le poète présent à autrui, avons-nous dit. Cet autre alors, n'est-ce pas le destinataire de ce qui pourrait être également une correspondance amoureuse ? Qui fut donc ce mystérieux « Ami » à qui la poétesse fait tant de reproches dont le plus grave pour un cœur aimant : le manque de fidélité ? Peut-être Olivier de Magny! Un nom évidemment qui transformerait les élégies en des œuvres de circonstance. Et cela n'aurait rien de surprenant : Louise Labé enfermant dans une forme poétique bien connue d'elle et de son époque, une forme favorable à l'épanouissement de cette poésie de reproches, des épisodes de sa vie amoureuse. Nul n'ignore en effet qu'élégie signifie étymologiquement « plainte », et ceci jusqu'au pléonasme de Boileau *la plaintive élégie*. Nul n'ignore non plus que l'on doit à Jean d'Authon d'avoir employé pour la première fois ce mot en 1500 dans sa *Chronique de Louis XII* écrite en langue romane, et que l'on doit à Clément Marot l'initiateur, la généralisation de son utilisation. Mais si en 1548 Sebillet dans son *Art Poétique* distingue encore l'épître de style populaire et l'élégie, triste plainte des passions amoureuses, dès l'année suivante Du Bellay inaugure la confusion. Et Louise Labé l'entretient qui, dans ce qu'elle nomme « élégies » seulement à la publication du volume et non dans la demande de privilège, adresse une « lettre » à un ami, en même temps que soupire et se lamente son cœur mécontent.

Ce qui est indiscutable donc, c'est la connaissance qu'avait la

Belle Cordière des possibilités de l'élégie. On a souvent attribué cette connaissance à sa culture gréco-latine. Sans mettre celle-ci en doute, je pense qu'il est plus logique de fonder l'emploi de l'élégie chez Louise Labé à partir de ce qu'elle a vraiment pu utiliser. Car ces vers de Ronsard, elle n'aurait pas pu les écrire :

> *Mais que me sert d'avoir tant lu Catulle*
> *Ovide et Galle, et Properce et Tibulle...*
> . . . .
> *J'avais déjà commencé de tracer*
> *Mainte élégie...*

Au premier rang de ce qu'elle a pu utiliser : les *Œuvres Toscanes* de Luigi Alamani, deux volumes d'élégies et de vers amoureux que ce Florentin venu en France avec François Ier fit publier en latin à Lyon au cours des années 1532-1533, et surtout les *Métamorphoses* et les *Héroïdes* d'Ovide dans leurs éditions lyonnaises de 1508, 1523, 1526, 1528, 1529, 1536... Avec Alamani, ce sont les thèmes qui s'apparentent : les brûlures d'amour, l'Archer vainqueur, l'impossibilité d'échapper aux pleurs amoureux. Avec Ovide, ce sont les formes qui peuvent s'identifier. Déjà Bréghot du Lut en 1824 avait mis en évidence de nettes comparaisons. Reprenant cette idée dans sa thèse *Louise Labé, vida y obra poetica* soutenue à Barcelone en 1959, Maria de la Caridad Martinez Gonzales détaille toutes les similitudes qu'elle pense avoir découvertes entre les *Héroïdes* et en particulier la IIe Elégie. Forçant le ton, elle va jusqu'à prétendre que cette IIe Elégie de la Belle Cordière est un décalque dans le canevas, dans le dénouement, dans l'épitaphe qui la termine, et bien sûr dans les vers, des IIe, I^{ie}, V^e et XVe Héroïdes!

Mais si ces rapports nous apparaissent dans leur ensemble un peu osés et imprudents, il n'en reste pas moins vrai que les

Elégies sont, des œuvres de la poétesse lyonnaise, les moins originales. Rappelons l'originalité foncière du débat, annonçons déjà ce que nous dirons pour les sonnets, à savoir qu'ils ne doivent « rien aux poètes français des siècles précédents, ni à Marot, ni aux autres poètes de la Pléiade ». Ainsi seules les Elégies auraient des dettes. Celles-ci et le fait que les élégies sont des œuvres de circonstances risquent de conduire à la formulation hâtive de ce jugement : ce sont des poésies mineures. Or un examen même rapide de leurs dates de composition remet en cause cette condamnation.

Il serait réconfortant pour l'esprit que les trois Elégies aient été écrites dans l'ordre où elles figurent au centre du petit volume des *Evvres de Lovïze Labé lionnoize*. La première ne médite-t-elle pas sur un amour, image banale des amours, eux-mêmes copie de l'idée commune que l'Amour transforme jusqu'à la couleur du ciel ou des arbres :

> *Ainsi Amour de toy t'a estrangée*
> *Qu'on te diroit en une autre changee...*

La seconde élégie ne témoigne-t-elle pas ensuite de la précarité des sentiments les plus éternels et de la cruauté de l'absent au point que mourir est la seule volonté :

> *Que mile fois je souhaite la mort...*

Enfin la troisième ne confesse-t-elle pas toute une vie d'amante pour conclure par cette prière à l'ordonnateur des amours :

> *Mais si tu veus que j'ayme jusqu'au bout,*
> *Fay que celui que j'estime mon tout,*
> . . . .
> *Sente en ses os, en son sang, en son ame,*
> *Ou plus ardente, ou bien egale flame.*

Combien la logique serait ainsi respectée; et miss E. Young n'a pas manqué de céder à cette séduction de la raison. Mais l'irrationalité des élans du cœur de la Belle Cordière ne pouvait pas, au départ, échafauder un si bel équilibre.

Des trois élégies, la plus transparente au point de vue biographique est la seconde. L'« Ami » a fui, et « cruel » ne revient pas malgré ses beaux discours vantant l'esprit et la gloire de la belle, et malgré ses promesses. Mieux même, sur les bords du « Pau Cornu », il a trouvé nouvel objet d'amour! Cet « Ami », cette passion, ce départ, ces reproches, qui prétendrait qu'ils ne concernent pas l'infidèle et pourtant jaloux poète de Cahors : Olivier de Magny. Celui-ci est, en effet, arrivé à Lyon en décembre 1554 (chronologie ancienne en usage jusqu'en 1564 et qui voulait que la nouvelle année commence à Pâques) dans les bagages de l'ambassadeur d'Avanson dont il est le secrétaire. Il s'éprend de Louise Labé, à moins que ce ne soit elle qui s'éprenne de lui. Toujours est-il : passion partagée et récompensée! Mais trois mois plus tard (mars 1555 avec la chronologie ancienne) il doit quitter Lyon pour l'Italie, victime ou heureux des missions de son protecteur à Ferrare, Venise et Rome, où on le retrouve en mai 1555 (a. c.). Et si l'absent dans d'autres bras oublie vite les jardins de la Belle Cordière, celle-ci ne l'oublie pas. D'où cette deuxième Elégie que l'on peut dater sans hésitation de 1555 (mai). La seconde élégie est donc la dernière écrite comme le souligne cette autre remarque. Le privilège royal est signé par Robillard à Fontainebleau le 13 mars 1554. Cela veut dire qu'au moins six à huit mois avant, Louise Labé songeait à la publication de ses écrits. Hors de doute que dans ce livre en préparation sont prévues les Ire et IIIe Elegies, élégies qui auraient été composées à ce moment-là pour servir (nous l'avons dit) de prière d'insérer bien qu'elles fussent encore autobiographiques.

Mais la liaison avec Olivier de Magny, dans le même temps que la demande de privilège est faite, bouscule tout. D'autant plus que la discrétion n'est pas une qualité de l'auteur des *Soupirs*. Louise Labé est contrainte de repenser son livre. Et contrainte d'une part parce que sa passion lui a dicté d'autres vers, d'autres confidences, et d'autre part parce que cette nouvelle aventure affirme sa vision nostalgique de l'amour, et porte à son paroxysme la fureur de ses détracteurs. Elle classe les élégies, elle les ordonne pour qu'elles apparaissent moins personnalisées, plus générales dans le temps. Rien n'interdit de penser qu'alors elle modifie le fameux repère de la III° Elégie : *treizième Esté* étant écrit à cet instant-là, ce qui ferait tomber les polémiques. On pense à Rilke réécrivant la cinquième Elégie de Duino, après l'achèvement des neuf autres. De plus, Louise Labé cède à la mode du XVI° siècle en réunissant dans son livre *Les Escrits de divers poètes* pour chanter ses *louenges*, et sentant la nécessité de parfaire sa justification et son mode de vie, dédie à Clémence de Bourges son petit livre.

De telle sorte que les *Elégies*, loin d'être des œuvres mineures, sont en fait des œuvres majeures malgré les circonstances et les dettes. Majeures pour l'importance que leur a accordée la poétesse en les architecturant après leur composition. Majeures parce qu'elles livrent la conception de l'amour chez Louise Labé. Majeures enfin parce qu'elles ont délivré une forme poétique traditionnelle des obscurités et des méandres de la casuistique amoureuse, permettant ainsi à l'élégie de sourire plus tard à André Chénier, à Millevoye, au Gœthe des *Elégies romaines* comme à celui de l'*Elégie de Marienbad*, à Marceline Desbordes-Valmore, et à Rilke...

Nous le disions en commençant : Louise Labé n'ignorait pas les possibilités de l'élégie. Ce qu'elle ne pouvait pas deviner, c'est qu'aujourd'hui encore sa sincérité frémissante, les tendres hésitations de son cœur, les troubles de sa chair, y seraient extraordinairement présents et éternellement jeunes.

★

Une page de plus à tourner... et c'est le premier des inoubliables sonnets. Les sonnets de Louise Labé... l'œuvre la plus célèbre, la plus admirée, la plus souvent publiée parmi celles de la Belle Cordière. L'œuvre considérée unanimement comme le sommet de son art, et comme un des trésors de la poésie lyrique. Témoin ces admirations depuis celle de l'ode grecque contenue dans le petit livre de Louise Labé : « Les odes de l'harmonieuse Sapho s'étaient perdues par la violence du temps qui dévore tout : les ayant retrouvées et nourries dans son sein tout plein du miel de Vénus et des Amours, Loyse maintenant nous les a rendues... » (traduction de Sainte-Beuve), jusqu'à celle de Jean Larnac : « C'est qu'elle écrivait selon son cœur, sa chair, ses sens, ses nerfs. Ses vers semblent le fruit spontané du génie... » (*Histoire de la Littérature féminine en France.*)

Et devant une telle accumulation de richesses, devant une aussi instinctive mise en émoi par les mots et par les rythmes, devant une si grave et si impérieuse leçon d'amour, la première réaction exige le silence, puis la confrontation avec soi-même. Car encore aujourd'hui, avec audace, Louise Labé dit tout haut ce qu'une multitude pense tout bas. D'où l'adhésion sans réserve qu'on lui accorde, d'où l'adoration sans limite qu'on lui voue.

Mais ces vénérations conduisent aux pires excès; au point qu'il nous faut quand même nous demander quelle est cette œuvre. Dans toutes les éditions originales : vingt-quatre sonnets. Aujourd'hui vingt-cinq, le dernier dit « de la Belle Cordière » ayant été retrouvé par Turquety. Aucun d'eux ne com-

72

porte de titre : ils sont simplement numérotés de I à XXIV. Un thème unique, ou presque puisque vingt-trois de ces sonnets sanctionnent des « portraits » de l'amant, des amoureuses ou de l'amour. Deux seulement traitent de la nature à son renouveau ou à son apogée, mais encore est-ce plus par l'atmosphère que par la description si bien que ces élans vitaux peuvent encore s'identifier à l'amour. C'est donc l'étude même schématique de ce thème unique qui sera révélatrice.

Sans vouloir tomber dans le travers des thèses universitaires qui consignent pour un texte l'apparition de chaque mot important, il faut cependant noter ici que le terme « amour » et le verbe « aymer » figurent dans seize sonnets. Que douze de ceux-ci contiennent des « larmes » ou des « soupirs ». Suivent ensuite les expressions de la mort ou du désir de mourir (dans huit sonnets), des feux et des flammes qui embrasent ou consument (huit sonnets également). Par contre l'image des « flèches dangereuses », de l'arc ou de l'archer dont la fréquence était si significative des élégies, n'apparaît que dans sept sonnets. Ce qui frappe donc le lecteur en premier lieu : ces poèmes sont non seulement des poèmes d'amour, mais surtout des poèmes d'amour passionnés et douloureux. Les imparables traits ouvrent des blessures dont la souffrance est telle que le tombeau semble la seule solution. « Il n'y a pas d'amour heureux », chantent les rues. Autre constatation aussi prosaïque : l'amour, l'amor, la mort... Banalité peut-être du thème ainsi résumé, ainsi transcrit. Mais déjà l'on pressent une première originalité : dans la facture déterminée à l'avance de ces poésies, dans la forme fixe du sonnet, dans le contour arrêté de cette structure et arrêté jusqu'à l'emplacement probable de la rime, Louise Labé n'a pas inscrit l'expression traditionnellement vaporeuse et conventionnellement idéale de ce thème éternel, mais le langage précis des actes d'amour.

Et ce langage est si précis que Charles Boy, Tancrède de

73

Visan, puis Tracconaglia, trois de ses commentateurs les plus objectifs, ont voulu découvrir dans les sonnets un véritable « roman » d'amour, une sorte d'histoire au centre de laquelle se placerait l'auteur avec ses aventures amoureuses, mais en se réservant le droit d'intervenir dans la conduite du récit, et la possibilité de solliciter l'avis du lecteur. L'hypothèse là encore est séduisante. La réalité s'affirme à la fois plus simple et plus belle. Tout en étant déterminés par le même et unique thème, les sonnets se divisent en effet en deux groupes. Une série (les sonnets II, VII, XIII, XIV, XVII, XVIII, XX, XXII, XXIII), se bâtit autour du mouvement excentrique de « l'attente » et de « l'absence ». De l'éloignement de l'amant ou de « l'âme aymée » surgissent des « inventions » plus explicativement belles qu'une analyse poétisée arbitrairement. Ces expressions « privatives » sont d'ailleurs les mêmes que celles de la IIe Elégie : *Ou es-tu donq, Ami... rien sans toy..., hors de moy... ce qu'ils ayment lointein.* On peut donc penser que ces sonnets sont contemporains de cette dernière élégie, et qu'ils s'adressent eux aussi à Olivier de Magny. Ils pourraient dater du début (ancienne chronologie) de l'année 1555. Les autres sonnets seraient par contre plus analytiques et plus exemplaires. Tels seraient les sonnets I, III, IV, VIII, IX, X, XI, XII, XIX, XXI, qui pourraient être considérés comme des « recommandations » sur et contre la fatalité douloureuse de l'amour. A la fois un constat d'échec et une invitation au voyage puisque de toute façon on est embarqué... Ce qui serait bien proche des conseils des Elégies I et III, lesquelles annonceraient le sonnet XXIV, sans doute un des derniers écrits, avec son côté excuse, justification et conclusion du recueil :

> *Et gardez-vous d'estre plus malheureuse...*

c'est aux Dames Lyonnaises que la poétesse s'adresse une dernière fois!

Résumons : la série *Absence* date de 1555, la série *Instruction* est antérieure à 1553. La première ne peut avoir qu'Olivier Magny pour objet de reproche, la seconde est sans doute le fruit réflexif d'abandons plus nombreux mais moins conséquents. Et inutile de dire que ces abandons ont fait et font encore question. Un de ces sonnets (le X) commence par ce vers :

Quand j'aperçoy ton blond chef couronné...

ce qui lui vaut d'être à l'origine de toute une légende, ou de ce que l'on peut considérer comme telle dans l'état actuel des recherches érudites. Ce « blond chef couronné » ne serait rien moins qu'Henri II. Et du siège de Perpignan en 1542 où elle serait allée le rejoindre déguisée en homme jusqu'à la triomphale entrée du même Henri II avec Catherine de Médicis dans la ville de Lyon en 1548, Louise Labé n'aurait pas cessé de soupirer auprès du Dauphin devenu Roi. Mais la royauté resta inaccessible à celle qui par chagrin en devint poétesse... C'est en tout cas la supposition d'un grand nombre, tandis que d'autres pensent que le « blond chef couronné » était un brillant capitaine, ou un vulgaire homme d'armes, que le siège de Perpignan se réduisit pour Louise Labé à un tournoi auquel elle participa dans sa ville natale. D'autres biographes enfin, et soutenus par la tradition, admettent comme probable qu'elle fut une insigne courtisane et qu'elle n'a pas écrit ses poèmes « tout en filant la quenouille de son vieux cordier de mari »... De fait, et nous l'avons dit en commençant cette étude, ces problèmes de la Belle Cordière courtisane ne nous concernent pas. Cependant, certains auteurs conditionnent l'importance des sonnets à ces questions, et les cataloguent selon leurs réponses.

Ainsi Luc Van Brabant qui affirme avoir fait les découvertes que l'on n'espérait plus sur la grande poétesse lyonnaise, divise les sonnets en deux groupes. Premier groupe : les sonnets I, II, III, IV, VII, VIII, IX, X, XI, XIX ET XII, tous poèmes à Henri II, et écrits entre 1542 et 1549. Deuxième groupe : les sonnets XVII, XVIII, XII, XXII, XV, XIX, XXI, XX, XXIII, tous poèmes ayant pour « sujet » son amour pour Olivier de Magny, et écrits après décembre 1554. A la détermination de ce second groupe nous souscrivons volontiers, encore que les poèmes choisis ici ne soient pas tous identiques à ceux dans lesquels Louise Labé s'adresse au poète de Cahors. Mais le premier groupe de Luc Van Brabant est plus intéressant. Cet érudit flamand est convaincu — que c'est par le dauphin Henry que le cœur de Louise fut d'amour « arresté » — qu'elle le suivit à Perpignan en 1542 — que « l'aventure ne dura que les trois semaines du siège », — qu'elle le revit lors de sa rentrée à Lyon comme roi en 1548... Quel crédit accorder à cette thèse ? Luc Van Brabant dit lui-même : « J'ai fait ces découvertes par interprétation exacte des textes, mais surtout par concordances et superposition d'anagrammes. » Des exemples (et l'auteur travaille depuis quinze ans aussi bien sur les poèmes de Louise Labé que sur ceux de Marot, Scève ou Olivier de Magny) : dans le vers de Magny : « aller par cy, par la, pour changer de pasture » il lit « car tu as calé a le lord Henry par pur grappel »... et dans cet autre vers du même Magny « je meurs de jour et brusle le nuyct » il voit « Louyse Labé, mitre du cueur trensi » en s'accordant le loisir de mitre pour maîtresse. Il n'y a pas à sourire, car les anagrammes étaient très employés au XVIe siècle. A Lyon, il en court de fort visibles sous un grand nombre d'épigrammes composés par tous les écrivains, même les plus mineurs de l'époque. Malheureusement, si Luc Van Brabant assure qu'il y a une clef pour décrypter ces anagrammes, il ne semble pas l'avoir encore trouvée. Et seule la chance ou la volonté d'interpréter à tout prix selon son cœur et son imagination peut expliquer ses conclusions. Dans l'état actuel des recherches, nous ne pouvons donc y souscrire pour dater les sonnets ou pour savoir qui a pu les inspirer.

Mais cela nous permet cependant d'être formel sur un point : les sonnets ne furent certainement pas écrits dans l'ordre de leur numérotation. Comme elle le sentit pour les Elégies, Louise Labé après l'aventure avec Olivier de Magny éprouva le besoin de revoir ses textes. Elle le dit d'ailleurs elle-même dans l'épître à Clémence de Bourges : « en les revoyant depuis... ces jeunesses... » Phrase qui signifie aussi que certains sonnets furent écrits longtemps avant 1555, et certainement avant le *Débat de Folie et d'Amour*. Mais à la veille de remettre à l'imprimeur Jean de Tournes son livre, la poétesse lyonnaise s'aperçut sans doute que ses sonnets présentaient une espèce d'architecture interne, d'ordre intérieur n'ayant aucun rapport avec la chronologie de leur composition. Et aussitôt de numéroter ses sonnets selon une logique intérieure, logique qui veut que le thème central et unique se développe à partir de schèmes secondaires se répondant, s'épaulant ou s'opposant. D'où ce recueil apparemment lâche et libre, d'une démarche ininterrompue, et si continu qu'on le veut « roman » : l'ordre du cœur souverain ? Ce qui est une autre originalité car cet « ordre du cœur souverain » n'a pas son équivalent dans toute la poésie du XVIe en France, et n'a même pas de commune mesure avec les poèmes plus inspirés de Ronsard.

Oui... il faut maintenant répéter cette phrase : « La poésie de Louise Labé ne doit rien aux poètes français des siècles précédents ni à Marot, ni aux poètes de la Pléiade. » Or, pour la comprendre et avant de tenter la mise en évidence de l'originalité que nous venons d'affirmer, une remarque préalable s'impose. Au XVIe siècle, et surtout entre les années 1545 et 1560, le concept d'imitation n'est pas entaché comme, de nos jours, de nuances péjoratives. Mieux même, lorsque Du Bellay

77

et ses amis entreprennent de défendre la langue française, ils demandent « d'imiter » les Anciens. Mais leur « imitation » naît d'un double mouvement : ils ne copient pas, mais s'efforcent de se hisser au niveau de leur modèle, et ils rejettent la versification de leur époque. De ces consignes édictées, on le sait, en 1549, Louise Labé ne semble respecter que le premier mouvement : sa connaissance des Grecs et des Latins sous-tend toute son œuvre. Mais elle ne répudie point, comme le demande Du Bellay, ses contemporains, de Clément Marot à Maurice Scève; et si ses sonnets n'ont pas subi directement leur influence par contre elle n'en a pas moins entretenu avec les poètes de sa ville des relations fort civiles et fort cordiales. La presque certitude que l'on a de réunions littéraires dans la maison de la Belle Cordière, et surtout dans la demeure du sieur de Lange, magistrat respecté de Lyon, pourrait en témoigner. On peut donc dire (et c'est en cela qu'elle serait d'une autre manière originale) que Louise Labé, par ses soumissions apparentes à la *Défense* et par ses amitiés superficielles à Lyon, jette un pont entre la Pléiade et l'Ecole lyonnaise. Elle serait la liaison qui a toujours manqué, malgré Pontus de Tyard, entre le groupe où régnait l'autorité manifeste de Ronsard, et le groupe où sévissait la gloire reconnue de Maurice Scève.

Mais il y a beaucoup plus. La situation de Louise Labé vis-à-vis des uns et des autres n'est ni soumise, ni amicale. En premier lieu, son adhésion à la Pléiade ne paraît être venue qu'après coup, et ce, sur des détails. Quand la Belle Cordière compose des sonnets, ce n'est pas pour suivre Du Bellay qui a demandé d'élire ce genre poétique, mais parce que Lyon a bercé autour de Marot les premiers balbutiements de cette forme de poème dérobée aux Italiens par Mellin de Saint-Gelais, l'ennemi numéro un de la Pléiade. Par contre elle emploie pour la bonne « manière de parler français », l'infinitif comme substantif, l'adjectif aussi comme substantif et les vieux mots archaïques (larmoye, verdoye); ce qui ne l'empêche pas d'user abondamment des enjambements et des hiatus condamnés par l'auteur de *L'Olive*. De même si certains des sonnets suivent la formule de ce recueil de Du Bellay (en règle générale la série que nous avons baptisée *Absence*) pour la disposition des rimes aux tercets : C C D E D E, les autres se plient à la disposition lyonnaise ou marotique : C C D E E D. A remarquer que deux schémas sont sans référence à la Pléiade ou à l'Ecole Lyonnaise : C D E D C E (sonnet III) et C D C C D D (sonnet VIII). Et comme ces deux poèmes sont parmi les plus anciens écrits, on peut se demander si ce n'est pas en « revoyant » ses sonnets que la Belle Cordière n'a pas corrigé les autres pour les mettre au goût du jour. Des remarques identiques pourraient être faites en ce qui concerne l'alternance codifiée assez tard par la Pléiade des rimes masculines et féminines, alternance dont Louise Labé ne tient absolument pas compte dans les sonnets de « jeunesse ». Il faut le souligner une fois de plus : la poétesse lyonnaise ne s'est soumise à la Pléiade que pour satisfaire dans les détails aux caprices de la mode, sa résistance au pétrarquisme étant irréductible, sauf sur d'autres détails : l'emploi des antithèses et des métaphores.

Rappelons-le brièvement pour mémoire : le pétrarquisme est né du succès et de la diffusion des chants d'amour de Pétrarque pour une Dame idéalisée dans sa beauté et inaccessible, l'immortelle Laure. Car cet amour, malgré l'héritage qu'il fait des trouvères et troubadours, n'est plus bientôt qu'une suite de louanges au superlatif, une succession d'idées subjectives se résolvant dans une vision absolue du Bien et de la Vertu. Mais parallèlement au développement des images les plus pures de ces amours malheureuses, progressent les idées de Platon. Vulgarisées par Marsile Ficin ou Pic de la Mirandole, celles-ci, associées à la foi chrétienne en rénovation, luttent contre l'obscurantisme issu du Moyen Age, et adoptées par les savants et les poètes font naître l'humanisme. La conjonction de ces deux influences ne pouvait pas manquer d'agir sur les écrivains de la Pléiade. Mais s'il n'est pas dans notre propos d'analyser cette poésie et cette littérature que l'on appela plus tard et pour des raisons de commodité et de langage, néoplatonicienne et pétrarquisante, il nous faut dire bien vite que les différences de celles-ci avec les sonnets de la Belle Cordière sont fondamentales. Autant les poètes soumis à ces sources idéalisent-ils leur Dame jusqu'à lui donner les ailes des anges et leur pureté, autant Louise Labé, s'il est vrai qu'elle magnifie un peu dans les termes son partenaire, reste-t-elle lucidement réaliste sur les dons et les imperfections de l'amant. Dans un seul sonnet elle accorde un « divin visage » à l'objet d'amour, mais dans trois autres, elle démasque ses mensonges et dans deux autres raille « la triste aventure » ou « le but de ta malice ». Et cela dans des sonnets directement dialogués avec l'infidèle, et au cœur desquels en se peignant selon l'arsenal le plus conventionnel des extases de la poésie courtoise (tresse dorée, beauté comparée à deux soleils...) elle stigmatise les chantres des passions désintéressées. Contenant ce motif, le sonnet XXIII est d'ailleurs le type même à choisir pour certifier l'originalité de la poétesse. Quant sa souffrance véritable et humaine lui dicte d'écrire cette prière qui ne condamne pas :

> Pardonne moy, *Ami*, à cette fois,
> Estant outrée et de desprit et d'ire :
> Mais je m'assure quelque part que tu sois,
> Qu'autant que moy tu souffres de martire.

Louise Labé ne connaît plus rien, ni ne philosophe, ni ne versifie : elle vit. Elle est femme avec son cœur blessé, sa chair meurtrie... et du même coup nous lègue un de ses plus beaux sonnets, sans qu'il y ait besoin dans sa conscience ou dans la nôtre de la moindre mutation.

Autre exemple frappant de l'originalité due aux émotions naturelles de la poétesse : son attitude devant et dans le rêve. Contrairement aux poètes italiens de Pétrarque à Bembo, et contrairement aussi aux poètes de la Pléiade qui ont ajouté aux songes des premiers les souvenirs lascifs recueillis dans les blasons du corps féminin et nu, Louise Labé ne demande pas à ses rêves de lui accorder l'amour que la décevante réalité refuse, et que le réveil rendra plus décevant encore. Non, Louise Labé accepte ses rêves, fussent-ils heureux ou malheureux, reposants ou douloureux. Elle ne les provoque pas, elle leur cède. Elle ne dirige pas sa rêverie, elle s'abandonne aux ondes complexes « de la nuit » en n'émettant qu'un souhait :

> *Continuez toutes les nuiz mon songe...*

même si « crier le faut mon mal toute la nuit... » C'est que là encore ce qui importe avant tout pour la poétesse, ce sont les frémissements intérieurs de son être. Loin d'elle et de ses préoccupations les schémas rigides des rêves préparés à l'avance, guère plus satisfaits le lendemain matin. Innovation indiscutable pour cette époque de froide galanterie et d'empressement platonique!

Reste le problème Maurice Scève. A propos du *Débat*, nous avons repoussé la perfide insinuation de Pierre de Saint-Julien selon laquelle l'auteur du *Microcosme* aurait collaboré au texte en prose de Louise Labé. Sans insister parce que cela ne le mérite pas, nous rejetterons les affirmations des exégètes qui rapprochent les tournures et la langue de la *Délie* des sonnets de la Belle Cordière. Et nous mettons sur le seul compte de l'inexpérience, de la maladresse, les manières obscures ou compliquées de ceux-ci. Doit-on penser que les deux poètes de l'Ecole lyonnaise ont eu des relations très étroites? Une lettre adressée à Scève par Peletier du Mans en 1557 révèle qu'en 1555 il existait à Lyon un cercle d'érudits, pour lequel l'auteur de la lettre s'excuse de ses nombreuses absences entre ces deux dates. Par ailleurs Antoine du Moulin écrit en préface des œuvres de Pernette du Guillet « pour satisfaire à ceulx à qui privément en maintes bonnes compagnies elle les recitoit »... Enfin, l' « audacieux Scève » comme l'écrit à la Belle Cordière un poète anonyme, fut chargé en 1548 d'organiser *La joyeuse entrée d'Henri II* sur le plan, disons, littéraire. On peut donc affirmer à loisir que des réunions littéraires ne sont tenues à Lyon, que dans ces sortes de « salons » (rien à voir avec ce terme utilisé pour les séances lettrées de Rambouillet) Maurice Scève dispensait sa culture et son érudition et qu'à Lyon il trônait en tant que chef de file des poètes, en tant que prêtre, en tant qu'humaniste, en tant qu'homme de bien dévoué aux honneurs. Nul doute que Louise Labé devait apprécier cette culture sinon cette gloire! Mais rien ne prouve, et tout démontre le contraire, que l'influence de Scève sur la poétesse ait dépassé ce stade de l'amitié intellectuelle. Car si dans ses sonnets, comme dans toute son œuvre, Louise Labé a refusé, peut-être involontairement parce que ses sens étaient plus forts que son bon sens de la célébrité, le pétrarquisme, comment imaginer un instant qu'elle se voue au mysticisme où la *Délie* et le néoplatonisme chrétien avaient conduit Maurice Scève. Après Pétrarque, des poètes plus fidèles à la doctrine chrétienne comme Ronsard ont tenté par la qualité suprême de leur amour de s'élever vers Dieu, mais ont toujours reconnu leur échec. Scève (avait-il la foi dans les heures où il écrivait la *Délie* ?) ne cherche pas le divin, ni même une extase unissant dans le désir les corps et les âmes, mais achève son itinéraire amoureux par un acte de croyance en une « vertu » qui rendrait

82

immortels les amants et le monde. Et cela comme si une prophétie du poète amoureux devait alléger la matière et les esprits en vue de leur amplification cosmique. On juge combien l'amour plus charnel, plus « terre à terre » de Louise Labé poursuit une fin moins spiritualiste, moins métaphysique, mais plus physique : la possession réelle de l'être aimé. Originalité d'aveux que le siècle ne lui pardonnera pas. Et originalité qui la place dans un autre monde que le « courtisan » Clément Marot, que le « philosophe » Héroët, que le « rhétoriqueur » Jean Lemaire de Belges, ou que le « virtuose » Pontus de Tyard, tandis qu'il est aujourd'hui prouvé que c'est Olivier de Magny qui s'empara dans l'œuvre de la Belle Cordière d'un certain nombre de quatrains dont les fameux :

O beaus yeus bruns, ô regars destournez
O chaus soupirs, ô larmes espandues,
O noires nuits vainement atendues
O jours luisans vainement retournez :

O tristes pleins, ô désirs obstinez,
O temps perdu, ô peines despendues,
O mile morts en miles rets tendues,
O pire maus contre moy destinez...

que l'on retrouve au sonnet LV des *Soupirs*.

Disons pour conclure que si on ne lit plus ces poètes, et si Maurice Scève n'est sorti de l'oubli qu'au début du XXᵉ siècle, alors que l'on n'a jamais cessé d'éditer ou de traduire les sonnets de Louise Labé, c'est que ces sonnets sont « uniques au XVIᵉ siècle » parce qu'ils devancèrent leur époque de toutes leurs vibrations intimes et de toute leur spontanée sincérité. Aujourd'hui encore, nous les lisons comme s'ils venaient

de paraître, audacieux et actuels, désireux de vaincre les hypo-
crisies.

··

Le petit livre devrait s'achever sur les sonnets. Mais la poétesse demeurait à Lyon au temps de la Renaissance. Aussi
comme nous l'avons vu céder aux sacrifices de la mode en ce
qui concerne la métrique des sonnets, nous la voyons céder à
une autre habitude du temps : publier à la suite de ses œuvres
des *Escriz de divers poètes, A la louenge de L.L.L. Mais nous*
savons la Belle Cordière suffisamment libre vis-à-vis des coutumes pour croire que ce ne fut pas la seule habitude qui la
décida. D'autant que cette habitude ne concernait, en dehors
d'écrivains notables et morts, que les personnages de rang élevé
ou les courtisanes. Alors que les calomnies couraient déjà, il
y avait donc grand risque pour Louise Labé à sacrifier à cette
mode. Mais, *a contrario*, et précisément parce que se répan-
daient des calomnies, n'a-t-elle pas voulu mettre en pleine
lumière ce que ses adorateurs célèbres disaient d'elle. Nous
avons déjà souligné sa recherche d'excuses ou de cautions. Ne
peut-on pas dire qu'en publiant des œuvres typiquement pétrar-
quisantes elle cherchait aussi à atténuer l'effet scandaleux que
ne manqueraient pas de provoquer les sonnets ?
Toujours est-il que ces pages à la gloire de la Belle Cordière
rassemblent les noms déguisés ou pas de Maurice Scève *Non
si non là* (retrouvé dans premier et dernier sonnet du *Microcosme*), d'Olivier de Magny « D M » (publié en 1557 dans les
Soupirs, mais dédié à Antoine Fumée), de Baïf *Epître à ses
airs des gracieusetés de D L L*, de Claude de Taillemont
Devoir de voir, de Pontus de Tyard *En contemplacion de
D. Louise Labé* (reproduit dans le IIIᵉ Livre des *Erreurs Amoureuses*), de Pierre Woeïriot *A D L L sur son portrait*, Guil-

84

laume Aubert *Louenges*, de Vauzelles, *A soy belle*, et *D'immortel zèle*, Antoine Fumée *De Aloysae Laboe Oculis* et
A F R (le plus ancien des amis de Louise Labé), Jacques
Peletier du Mans une ode en grec et Antoine Du Moulin un
poème en latin... sans respect de l'ordre qui a d'ailleurs varié
entre l'édition de 1555 et les éditions de 1556 d'où a disparu
l'ode grecque.

Et tous les commentateurs de se pencher sur ces « escriz »
pour y découvrir des « informations » sur la Belle Cordière, sur
sa vie, sur ses amours, sur ses maisons... Il est de fait que certains de ces textes contiennent des allusions ou des expressions
que l'on jugerait impubliables aujourd'hui parce que trop com-
promettantes. Deux de ces « escriz » *De Aloysae Laboe Oscu-
lis* et *A D L L sur son portrait*, figurent parmi les pièces
à conviction destinées par certains à prouver que la Belle
Cordière était une courtisane ou tout au moins une « cortigiana
onesta ». Avec les mêmes documents et d'autres des *Escriz*,
Kenneth Varty par exemple pense avoir trouvé le lieu de naissance de Louise Labé, et peut déclarer du même coup qu'après
son mariage elle continua à entretenir le jardin du domaine de
la Gela où elle vit le jour; tandis que Luc Van Brabant (toujours par la méthode des anagrammes) affirme que le « vieux
poète rommain » dont font mention les *Louenges* de Guillaume
Aubert serait Clément Marot, d'où il en déduit (par anagramme encore) que l'Anne chantée par Marot ne serait rien
moins que Louise Labé jeune adolescente!

Devant le grand nombre d'interprétations possibles de ces textes, et encore une fois parce que la question de savoir si Louise
Labé était ou non une courtisane ne nous préoccupe pas directement, nous ferons confiance à la thèse de miss Young, thèse
parfaitement logique. Cette Américaine de Chicago a scrupuleusement consigné tous les thèmes pétrarquistes des poèmes à
la gloire de Louise Labé. Selon son travail, on peut les classer

en quatre groupes : 1° Louise dépasse en beauté toutes les divinités; elle est elle-même d'essence divine; 2° cette beauté lui fut offerte par les dieux; 3° sa froideur cruelle est proverbiale parmi ses soupirants; 4° sa vertu n'est pas moins proverbiale, et constamment louée. Et miss Young de conclure très pertinemment devant le conventionnel de ces thèmes qu'ils ne permettent pas une seule déduction sur les mœurs de Louise Labé, sur sa beauté, pas plus que sur ses amants ou ses aptitudes littéraires... A-t-on découvert la clé des amours de Ronsard dans ses sonnets ?

Ce que ces *Escriz* affirment cependant : Louise Labé aimait être flattée parce qu'elle est d'abord une femme...

III

« Elle est femme... », venons-nous de dire. N'est-ce pas l'idée qui s'est imposée constamment au cours de notre lecture du petit livre de Louise Labé ? Une idée présente comme un leit-motiv et qui mérite donc qu'on s'y arrête plus longtemps.

Elle est femme, une œuvre de femme... voilà des expressions qui risquent en effet de faire croire que nous voulons ranger l'ouvrage de la Belle Cordière sous l'emblème de la littérature féminine ou plus exactement le classer dans ce domaine de la poésie féminine où l'on mêle sans discernement des passe-temps de dames et demoiselles avec les noms de Sapho, Gaspara Stampa, Christine de Pisan, Pernette du Guillet, Marceline Desbordes-Valmore, Anna de Noailles, Marie Noël, Sabine Sicaud, Angèle Vannier, Liliane Wouters, Léna Leclercq... et bien sûr Louise Labé. Or disons-le brutalement : à notre sens il ne peut pas exister, il n'existe pas de poésie féminine, pas plus qu'il n'existe de poésie bourgeoise, de poésie prolétarienne, de poésie mystique ou de poésie politique... Il y a la Poésie. Un tout en parties illimitées dispersées à travers le temps et l'espace.

Les œuvres poétiques dues à des femmes seraient ainsi une fraction fondue dans un Tout en le fondant en même temps grâce à leurs caractères spécifiques. Car cette fraction se révèle particulièrement estimable, précieuse et rare. Michelet a pu écrire (la citation est archi-connue) : « Le but de la femme, ici-bas, sa vocation évidente, c'est l'amour. » Alors cette poésie de femme est « amoureuse » ? Oui, comme toute la Poésie d'ailleurs. Mais si nous n'ignorons rien de ce que Catulle a confié à Lesbie, ce que Pétrarque a chanté à Laure, ce que Ronsard a déclamé à Cassandre, et ce que Lamartine a pu dire à Elvire, nous ne sommes pas ou peu instruits sur ce que pouvaient leur répondre ou leur exprimer Lesbie, Laure, Cassandre ou Elvire... On dit souvent qu'en Amour, la femme est muette. N'est-ce pas plutôt parce que la conscience masculine « l'animus » se projette plus volontiers vers le dehors que la conscience féminine « l'anima » tournée sans conflit apparent vers l'intérieur ? Si bien que la « conversation sans fin » de l'amour selon Nietzsche, n'est plus qu'un long monologue de l'homme. Heureusement, et trop peu, les poétesses nous restituent la partie du dialogue qui manque. Elles renvoient la balle, elles établissent des exigences et des complaisances au cœur de la réciprocité amoureuse, elles nous renouvellent sans nous faire changer. Elles sont indispensables non pas parce qu'elles écrivent des poèmes « féminins » mais parce qu'elles écrivent l'une des partitions du gigantesque chœur d'amour qu'est la Poésie, et parce qu'elles décrivent l'une des deux réflexions de la création poétique.

Mais cette partition ne peut être authentique, cette réflexion vraie et juste que si ces poètes-femmes « s'acceptent », c'est-à-dire si elles « assument » leur corps et leur sexe. Dans le cas contraire, ou elles imitent l'homme et chantent faux, ou elles imitent Dieu et entonnent des cantiques; Louise Labé elle, et plus qu'aucune autre de ces poétesses, assume son corps et son sexe, la totalité de son être. C'est en cela que nous disons qu'elle est femme. Elle a bâti son existence et la destinée de sa poétique sur le mode de l'humaine féminité. Savoir comment ce corps est assumé reste donc, pour l'œuvre de la Belle Cordière, la question essentielle.

En premier lieu, Louise Labé ne se révolte pas contre son corps, ni contre celui de l'être aimé. Encore moins ne hait-elle ni l'un ni l'autre comme le fera trois siècles plus tard Baudelaire. Pas plus que ne s'élèvera chez elle la lutte du charnel et du spirituel. Au contraire la femme qu'elle est d'abord accepte sa « physiologie ». Elle décrit dans la mesure du possible son « paraître » féminin et ne passe sous silence que ce qui pourrait lui faire retrouver la licence des blasons. Aussi dans l'œuvre le corps intervient-il souvent, soit dans son entier (le mot est cité plusieurs fois dans les sonnets) soit dans ses éléments : « mon sang, mes os » (Elégie I) « ma poitrine hardie » (Elégie I) sans parler des yeux, des lèvres, des mains, soit dans ses mouvements « mise en mon lit lasse » (sonnet V). Mais cette corporéité se manifeste aussi dans sa vie : « Boire, manger et dormir » quand on aime, et dans sa puissance « les forces ». Rien n'est plus féminin enfin pour le corps de la femme que le dépérissement « yeux taris, voix cassée, main impuissante », ou la crainte de mourir et sa situation face à la beauté.

Car les modes féminins de paraître sont aussi importants que les présences et les apparences en ce qu'ils révèlent la femme avec son corps face aux autres et face au monde. Quand Louise Labé dit « je suis le corps » elle le dit aussi bien pour elle-même que pour l'homme. Dans ce sonnet VII, c'est donc sa nature sexuée qu'elle manifeste. De même si elle mentionne (Elégie II) ce qui la différencie sur le plan de la « beauté, vertu, grâce... gloire... renommée... » d'une rivale possible, c'est qu'elle veut apparaître aux yeux des hommes aussi bien qu'aux yeux des femmes. On pourrait ainsi multiplier les exemples de cette détermination par le corps de la nature féminine pour elle et pour les autres, nature dont on a montré précédemment l'affectivité profonde et la sensibilité spontanée. A celles-ci on ajoute généralement la fragilité. Je dirais que cette fragilité même élargie aux buts et aux intentions n'est qu'apparente. En effet, là encore, le corps joue un rôle primordial parce que le fait qu'il puisse tout à la fois donner et recevoir détermine, non plus le mode féminin de paraître, mais le mode d'exister. En son temps Louise Labé a préfiguré magnifiquement ce qui est aujourd'hui le comportement féminin par excellence. Elle s'offrait « Oysel léger comme j'irois à luy » (sonnet XXV), « hors de moy » (sonnet XVIII), « hors de moymesme » (sonnet XVII)... et elle procurait le repos « çà que ce mal j'apaise » (sonnet XVIII), « pitié je pris de sa triste aventure » (sonnet XX). C'est pour employer une formule habituelle « l'acte de prendre soin », ou mieux d'avoir souci de. C'est Pénélope qui a souci d'Ulysse! Et le « souci » serait une des dominantes existentielles de la femme : elle protège, elle soigne « de faire aus Dieus pour ta santé priere » (Elégie II), elle demeure près des choses, elle demeure près de ce qu'elle possède, près de ce qu'elle a, près de ce qui est près d'elle. Un seul mot désigne cette vocation : la fidélité. Cette fidélité, Louise Labé l'exprime au moins trois fois nettement : « telle est ma foy... tu es tout seul... avec toy tout... », tandis que l'on sait qu'elle ne pardonnera jamais à Olivier de Magny son inconstance. Mais comme tous ses contemporains ne confondait-il pas cette « femme » telle qu'elle était femme avec ce qu'il aurait voulu (un être passif au service du mâle) qu'elle soit

Donc Louise Labé s'accepte et s'accepte dans son sexe, ce qui est la condition première d'une vie intérieure structurée. D'où l'œuvre authentique parce que son auteur se veut une nature féminine sans exaspération. Comme l'accentuation de la force chez l'homme le conduit à la violence, l'aggravation de la féminité chez la femme la mène à l'exhibitionnisme et au désordre lyrique. Rien de tel chez Louise Labé, être volontaire. Nous l'avons vue contrôler ses épanchements, se pro-

90

poser des formes pour y contraindre son inspiration, organiser son œuvre pour qu'elle décrive avec pudeur et retenue la féminité sans que l'emportent les images ou les magies verbales. C'est une confession sans fard mais immobile. C'est une plongée intérieure sans risque de perdre pied. C'est une expérience sans limites mais dont chaque pas en avant est assuré par le précédent. Mieux encore, à mesure que s'élabore la riche subjectivité de cette œuvre, s'élabore sa stricte objectivité : elle s'avoue mais se voue en même temps à son rôle pédagogique. Ainsi les sonnets et les élégies de Louise Labé permettent-ils de connaître en gros les amours de Louise Labé aussi bien que ses jugements sur l'amour. Ainsi ces poèmes parlent-ils à l'amant comme ils conseillent les futures amoureuses. Double mouvement que pourrait transcrire l'apparente contradiction de la formule : la volupté dominée. Car au cœur même de ce qui est imposé, de ce à quoi on ne peut pas échapper : l'amour, Louise Labé conserve par son vouloir sa liberté; ou plutôt la façon dont son vouloir choisit l'amour fatal lui rend sa liberté. Activité qui est une acceptation de soi et qui va devenir, malgré elle, un refus des autres.

S'accepter, se vouloir, s'édifier, c'est lutter contre ce qui est donné et établi. Or ce qui est donné et établi, c'est une société organisée par l'homme, au service de ses intérêts et de ses plaisirs. Une société où la subordination de la femme ne serait pas seulement momentanée et amoureuse, mais permanente, une société où l'Eglise s'est attachée dans l'amour à bannir ce qui est la fonction et l'organe. Une société où même la courtisane issue des femmes italiennes de la Renaissance est encore pensée par l'homme comme ornement, distraction, objet de luxe sinon source de plaisirs. Louise Labé, nous ne prétendrons pas qu'elle fut la seule mais elle incarnera le type, refusa en tant que femme de s'insérer dans un tel ensemble. Elle prit ses distances, elle s'émancipa comme nous

91

l'avons vue dégager son œuvre des influences pétrarquistes puis des doctrines de la Pléiade tout en se pliant superficiellement à certains des caprices de ces modes poétiques. De semblables façons, en grande Dame, elle fut sans doute blonde, richement vêtue, jouant du luth ou de l'épinette, sachant lire le grec et le latin... mais en féminine femme restera-t-elle insensible au plus profond d'elle-même à ces modes et à ces coutumes. L'habit ne créait pas la fonction pour elle. Superficiellement, elle est Dame lyonnaise; en profondeur elle est femme en devenir. Dans son salon, elle fut; dans son œuvre (où ne régna jamais l'hypocrisie) elle a existé, et existe encore.

Ce qui fait qu'un tel mouvement d'émancipation est à la conjonction des condamnations que des seigneurs dépités et des prélats tonsurés ont pu énoncer sur les mœurs de Louise Labé. Lorsque celle-ci monte à cheval, participe à des tournois, au regard des hommes elle le fait pour épanouir et soigner son corps, donc pour leur plaire, et plaire à eux tous. Or elle reste fidèle; c'est en conséquence qu'elle veut par des exercices virils égaler l'homme, et sortir de sa condition assujettissante. Au XVIe siècle une telle tentative est impardonnable. Vouloir tout à la fois être belle, développer son corps, être capable de pratiquer ce que l'on appellerait aujourd'hui le sport, et ne pas être une courtisane, ne mérite que vengeance. Et quand cette tentative risque d'atteindre dans leurs faciles conquêtes ces soupirants qui ne sont platoniques qu'en écrivant, comme Olivier de Magny, alors la vengeance devient de la haine : c'est l'*Ode à Sire Aymon*, la *Chanson nouvelle de la Belle Cordière*. De même, quand Louise Labé étudie la musique, lit les Anciens, apprend à tourner une épigramme, les hommes de son salon ou des salons lyonnais peuvent croire qu'une telle éducation n'a pas d'autre but que les mondanités, le désir de plaire, d'être agréable, spirituelle. Et sans doute Louise Labé entretient-elle ces croyances par son brio en société, par l'élégance de sa conversation dans le monde, par sa culture digne des lettres qu'elle reçoit. Mais lorsque tout ce « beau monde » feuillette le petit ouvrage sorti des presses de Jean de Tournes un matin d'août 1555, pour un grand nombre la surprise est considérable. La Dame a été, et est encore amoureuse! Elle ose adresser des reproches à l'amant infidèle! Elle ose mettre à jour et avec franchise ce qui devrait n'appartenir qu'à elle-même!... La surprise première passée, le petit livre choque, puis gêne, indispose enfin, et cela autant par l'audace de l'auto-analyse que par le courage de l'auteur voulant garder sa « féminité ». On peut même poser la question : est-ce que en plus de la souffrance que lui causa l'aventure avec Olivier de Magny, la jalousie du monde lyonnais n'a pas avancé le moment de la retraite de la Belle Cordière ? Dans un ensemble à qui elle se refusait et qui la refusait, elle n'avait plus rien à faire. En 1556, rien ne devait donc la retenir de « se retirer » : elle s'était en femme libre délivrée des tourments de son être malgré les mensonges et les conventions, et elle avait donné sa leçon des événements.

Comme on s'est mépris d'ailleurs sur cette leçon. D'une part Louise Labé énonce les principaux thèmes éternels de l'amour, en particulier dans le *Débat* et dans les *Elégies*, thèmes dont sa vie lui avait permis de vérifier l'existence et dont ses écrits lui facilitèrent la formulation. D'autre part, et c'est là le véritable enseignement, ce qui précède pouvant être considéré, nous l'avons vu, comme une recherche d'excuses, Louise Labé donne des conduites à tenir. Elle n'a point ou peu inventé « ces manières d'agir ». La grande majorité d'entre elles, elle les trouva dans le *Pantagruel* de Rabelais édité en 1532, 1533, 1534, et 1542... dans *Les Beautés de la Femme* de Firenzuola publié en 1541... ou encore dans *Le Courtisan* de Baldassare Castiglione, connu en français vers 1547... Mais ces ouvrages étaient des ouvrages d'hommes.

Ils n'enseignaient que dans le seul but de décider les femmes à être de parfaites, nobles et soumises courtisanes. Louise Labé tout en reprenant les mêmes arguments, les mêmes formules, professe tout autre chose. S'élever l'esprit au-dessus des « quenouilles et fuseaus » non point pour être courtisane, mais pour être une femme libérée. Ne point craindre la gloire, non pour jouer à jeu égal avec l'homme, mais pour être une femme capable d'assurer sa propre destinée. Ne pas se laisser dépouiller de cette « honneste liberté » du droit d'apprendre, d'écrire, de se cultiver, non pas pour conserver ces passe-temps et ces possibilités de récréation, mais pour le « contentement de soy ». Nous dirions aujourd'hui l'affirmation de soi. Deux moments donc dans ce « féminisme » de la Belle Cordière : un étalage de franchise, un examen de conscience dirigé vers la réformation de soi; une connaissance d'autrui, une clairvoyance devant les autres orientée vers l'affirmation de soi. Attitude négative de la réformation de soi pour se pardonner devant autrui, attitude positive de l'affirmation de soi pour se donner à autrui. Ce sont là vraiment des problèmes de gouvernement, des questions de discipline de vie; règles de comportement qui, développées plus en profondeur, auraient pu être les fondements d'une éthique non pas morale, mais de moraliste. Louise Labé ajoute, s'adressant à toutes les femmes « seules en publicq » par-dessus Clémence de Bourges, « vous inciter et faire venir envie, en voyant ce mien œuvre rude et mal bati, d'en mettre en lumière un autre qui soit mieus limé et de meilleure grace ». Développé là encore ce manque d'illusions sur son œuvre pourrait être la première trame d'un art poétique, d'une esthétique qu'auraient pu préparer également certains vers des sonnets comme ces deux-ci :

> Et si te veus efforcer au contraire
> Tu te destens et si me contreins taire...

Comme il faut regretter ces absences de développement, comme il faut regretter que Lyon ait faire taire Louise Labé. Toute une dialectique génératrice d'une œuvre ne s'est pas encore exprimée : on n'en connaît que le premier et beau va-et-vient entre la projection spontanée de soi et le contrôle lucide de soi, entre la naissance de soi et la connaissance des autres.

Il y a là la résolution d'un conflit sans tragique ni contradiction, il y a là un être de femme fascinant parce qu'assurant son destin de femme, et qui, quatre siècles avant Aragon aurait pu écrire : « De cette vie je n'ai appris qu'une chose, j'ai appris à aimer. Et je ne vous souhaite rien d'autre, savoir aimer. »

IV

Exemplaire indépendance donc de Louise Labé depuis son émancipation vis-à-vis des poètes de la ville, de son temps et de la Pléiade, jusqu'à son affranchissement par rapport aux mœurs, modes et coutumes de son époque. Mais nous l'avons dit, cette indépendance n'est pas directe. Ce n'est point une autonomie complète, un retrait dans une tour d'ivoire ou dans une bibliothèque; c'est au contraire une liberté derrière les conventions, une liberté derrière les apparences, une liberté au second degré jusqu'à la parution de l'œuvre. Pourquoi ? Les raisons de cette liberté cachée ? Parce que Louise Labé a vécu à Lyon, ville de gloire privilégiée des rois d'une part, et ville de la misère élue de la révolte d'autre part. Cette indépendance, la Belle Cordière en effet eût-elle pu l'acquérir sans l'éducation particulière que la richesse de son père lui permit de recevoir, eût-elle pu l'épanouir sans l'importance de la bourgeoisie lyonnaise jalouse des libertés autres que marchandes, eût-elle pu la conserver sans l'aisance que son vieux cordier de mari lui procura jusqu'à sa mort ? Certainement pas, et je pense que l'on a jamais insisté sur le fait que le dépérissement financier de la ville et celui d'Ennemond Perrin, époux de la Belle Cordière, ont curieusement coïncidé avec la retraite mondaine de celle-ci, et avec la disparition de l'Ecole poétique de Lyon.

Louise Labé naît à Lyon en avril 1522 dans une famille relativement à l'aise. Oui, avril 1522 et non 1526 comme le veut la légende, ou 1520 comme le souhaitent les biographes soucieux malgré tout de découvrir quelque chose de nouveau à propos de la vie de Louise Labé. Avec Mathieu Varille et Jean Larnac, nous adopterons avril 1522 parce que :

1) Louise Labé est la cinquième enfant (après Barthélemy François, Mathieu et Claudine) de la seconde femme de Pierre Charly, Etiennette veuve Deschamps. Or celle-ci s'est remariée avec Pierre Charly en 1515 et elle meurt en 1524; Louise serait donc née plus près de 1524 étant la cinquième que de 1515.

2) Louise Labé a écrit dans la III⁰ Elégie « *treizième Esté... seize hivers...* », et nous avons dit que ces deux repères avaient dû subir des retouches de dernière heure avant la livraison à l'imprimeur; ce moment étant juillet 1555 « *voici le treizième Esté* » serait l'été de 1555, soit le cœur « *arresté d'amour* » au cours de l'été 1542, l'année de l'homme de guerre et du siège de Perpignan. Mais elle dit aussi « *seize Hivers* », ce qui, avec l'ancienne chronologie, ferait l'été de 1538 pour connaître les premières assiduités des soupirants. Il est à remarquer également que l'on a toujours, et sans raison, lié ces deux repères, alors que Louise Labé distingue soigneusement « ennuis divers » et « amour ». « Ennuis divers » donc, peut-être sur ses pas les soupirs de Clément Marot qu'elle a rencontré en 1536... c'est tout au moins l'hypothèse de Luc Van Brabant.

3) Le seul portrait de Louise Labé fait de son vivant est celui de Woeïriot, et c'est celui d'une jeune femme d'environ trente-cinq ans; or ce graveur originaire des Vosges ne séjourna à Lyon qu'au cours de l'année 1554-1555, ce qui, si Louise Labé était née en 1522, lui correspondrait exactement avec trente-trois ans.

97

Toujours est-il que Louise Labé naquit à Lyon dans une famille aux revenus confortables, ou plus exactement les mariages successifs enrichirent le père de Louise Labé, Pierre Charly. Vers 1490 n'épouse-t-il pas la veuve de Jacques Humbert dit Labé, Guillermette ? Et à la mort de celle-ci n'hérite-t-il pas de la corderie de Labé et de la maison de la rue de l'Arbre-Sec ? Ne se remarie-t-il pas en 1515 avec une autre veuve, celle de Benoist Deschamps dit Compagnon, Etiennette ? Et à la mort de celle qui fut la mère de Louise Labé n'hérite-t-il pas encore d'une belle propriété, celle de la Gela (aujourd'hui occupée à Lyon par le groupe scolaire de la place Morel) « *une maison tinailler, colombier, vignes, appelé de la Gela, contenant en vignes XX fosserés* » ? *Et dans le* même temps ne complète-t-il pas son patrimoine immobilier d'une autre maison dans la rue « *tirant de saincte Catherine à la porte Saint-Marcel* » et d'une autre « *joste le grant chemin de saint Vincent à la croix Benoiste Gaignet* » ? Les archives de Lyon livrent d'ailleurs cette montée financière qui pourrait symboliser celle de toute une classe marchande, de Pierre Charly, ou Charlieu, ou Charlin (les orthographes ne sont pas codifiées) entre les années 1490 où il est jeune et sans ressources et les années 1537 où, cordier enrichi, il devient notable de la ville. Dans ce relevé des taxes payées normalement en dehors des contributions aux guerres et aux entrées royales (il ne faut pas en effet oublier que Lyon et la fortune de ces marchands et banquiers sont les auxiliaires de la politique italienne des rois depuis Charles VIII jusqu'à Henri II) on lit pour le père de Louise Labé : 1502, trente-sept sous de taxes soit environ 64 NF; 1524, trente livres tournois soit 1 200 NF; 1537, quatre-vingt-dix livres tournois soit 3 600 NF. Ajoutons que les franchises royales sont plus nombreuses que les impositions, et l'on aura une idée de la richesse de Pierre Charly, et des marchands venus aussi bien d'Italie que d'Allemagne.

Pierre Charly est d'ailleurs suffisamment riche pour se permettre d'être un des quarante fondateurs de l'Aumône générale de Lyon en 1531. La famille de Louise Labé donc : de sans fortune à grande fortune, d'un niveau social bas à une classe montante qui éprouve le besoin d'avoir bonne conscience en essayant de soulager la misère des quarante mille indigents que compte la ville sur une population de cinquante mille habitants...

Mais revenons en 1522. Pour Pierre Charly, l'année lui apporte une fille, la dernière des enfants. Quelques années plus tard, il faut que celle-ci exprime les ambitions de son père, il faut qu'elle soit ce qu'il est (par l'argent) et ce qu'il devrait être (par ses connaissances si elles ne lui manquaient pas). Pourquoi elle seule ? Rien n'indique que Louise Labé fut la seule à porter les ambitions de son père Mais tout laisse supposer qu'elle seule les porta assez haut pour que nous nous en occupions aujourd'hui.

On peut donc facilement imaginer que le cordier Pierre Charly fit venir chez lui un ou des précepteurs pour ses enfants; et qu'en dehors des leçons de celui ou de ceux-ci les enfants jouaient entre eux, ce qui aurait eu pour effet d'apprendre à Louise les amusements virils de ses frères, car il est probable que pour eux le père avait l'espoir de les voir se comporter comme des hommes d'armes. Je sais que cette forme d'éducation reçue par Louise se heurte aux habitudes énoncées souvent et qui veulent que Louise Labé, fille d'un cordier illettré ait profité par hasard des leçons données par des maîtres distingués à son amie Clémence de Bourges. Or, on ne possède aucune preuve d'une camaraderie d'enfance entre la fille du cordier et la fille du général des Finances du Piémont, même si l'on doit croire à l'amitié plus tardive de ces deux belles Lyonnaises. Et d'ailleurs a-t-on remarqué la différence d'âge entre les deux ? Clémence de Bourges n'aurait pas survécu après

99

1561 à un chagrin d'amour dû à la mort de son futur époux Jean Du Peyrat au siège de Beaurepaire. Clémence allait avoir vingt-cinq ans, ce qui la fait naître vers 1536. Une éducation commune est donc impensable.

Ainsi, Louise Labé apprend à lire, à écrire, à jouer du luth. Elle le dira plus tard : « *ayant passé partie de ma jeunesse à l'exercice de la musique...* ». Comme elle apprend aussi à monter à cheval, à manier les armes. Est-ce à dire qu'elle eut un précepteur qui lui enseigna aussi le latin, le grec, qui lui révéla les écrits des Anciens ? Et dans ce cas, quel aurait été ce précepteur ? Clément Marot, Maurice Scève... ils n'auraient pas, plus tard, manqué de faire savoir que leurs leçons avaient porté, ou au contraire qu'elles n'avaient pas été suivies. Antoine Fumée alors ? N'écrit-il pas dans un sonnet à la louange de la Belle Cordière :

> *... heureus me sens t'avoir non le premier aymée,*
> *Mais prisé ton savoir avant ta renommée.*

Ce qui en d'autres termes signifie qu'il eut l'occasion d'apprécier les connaissances de Louise Labé avant qu'elle publiât ses écrits. Mais est-ce suffisant pour affirmer qu'il fut son professeur de latin et de grec, et qu'elle fit avec lui ses humanités ?

Doit-on croire aussi qu'à la fin de cette éducation, disons scolaire, Louise Labé fut en possession de tout ce dont elle pourra avoir besoin dans son œuvre, et de tout ce qu'elle utilisera comme références linguistiques, mythologiques et historiques. Ce serait à tort faire bien peu de cas de ses lectures personnelles (nous savons que Lyon est une ville d'imprimeurs et d'éditeurs, plus de quatre cents ateliers) et de ses rencontres avec les lettrés de cette même ville de Lyon, comme ce « bon poet rommain » qui peut-être, en la courtisant en italien, lui apprit la langue de Florence. Et Louise Labé, en plus, ne manque pas de dire dans son épître dédicatoire qu'elle aimait « *l'estude* » pouvant de « *moymesme satisfaire au bon vouloir...* ».

Résumons : l'éducation de Louise Labé est le fruit des circonstances. Je ne dis pas qu'elle fut laissée au hasard; je dis que des « accidents » et des « incidents » malheureux et heureux la déterminèrent. Par exemple : la mort de sa mère alors qu'elle n'est âgée que de deux ans, l'arrivée d'une belle-mère bien vite jalouse d'elle en 1525, les héritages successifs de son père, sa fortune, ses frères, ses amis, ses rencontres... Tout cela paraît avoir eu autant d'importance que les dons naturels de Louise Labé, que sa volonté de s'instruire; et tout cela paraît plus logique qu'une possible formation systématique à la manière italienne, et dans le but de préparer Louise à être une *cortigiana onesta* comme les célèbres Imperia, Vittoria Colonna, ou encore comme la très belle Tullia d'Aragona.

Et Louise Labé profita de ces circonstances. Elle en profita peut-être trop, s'appuyant sur les libéralités de son père. Elle commence vers 1538 à subir les premières escarmouches amoureuses dans un monde qu'elle essaie de conquérir tant par sa beauté que par son savoir et dont elle a vu les portes s'ouvrir par égard à sa richesse. La conquête est sans doute facile dans cette ville où la présence permanente des rois, des reines, de leurs muses ou poètes courtisans multiplie les fêtes, les mondanités, les jeux de l'esprit et des corps. D'où pour Louise Labé des aventures sans doute nombreuses bien qu'elle fût dans cette Cour une des rares à être issue d'une classe montante (les marchands) alors que tous les poètes ou poétesses qui l'entourent appartiennent à cette petite noblesse de province que la vénalité des charges décrétée en 1522 par François Ier ne sauve pas de la ruine, ni de la nécessité de se mettre à la solde d'un protecteur de sang royal.

Peu importe pour nous ces aventures de Louise Labé... sinon

qu'en 1544, elle épouse Ennemond Perrin. Et contrairement à ce que l'on a dit souvent ce n'est la « pauvre fille d'un cordier » qui épouse un cordier « riche et plus vieux qu'elle », mais bien une « belle fille richement dotée », qui se marie par raison avec « un parti avantageux ». Et quel parti! En 1515 les Archives communales de Lyon signalent que Ennemond Perrin vient d'hériter (il doit avoir au moins vingt ans pour cela) de son père une « *maison haulte et basse en la rue Confort, de costé de vent, et un gardin dernier joignant au tennement Nostre Dame de Confort, la ruelle, entre deux, devers soir, et la maison de Claude Barbarin et Loys Teynet, troilleur devers matin* ». En 1544, Ennemond Perrin avait donc au moins cinquante-quatre ans (sa naissance pouvant être fixée autour des années 1490-1491). Trente-deux ans d'écart : Louise Labé a suivi les conseils de son père, elle s'est mariée par raison. On peut donc dire que c'est un autre « père » qu'elle vient de trouver. Oui, un autre père parce que ses assiduités amoureuses sont inexistantes, parce que sa fortune est considérable comme la fortune du père de Louise Labé, parce que la boutique absorbe son temps et que le monde fréquenté et bientôt reçu par sa jeune femme ne le concerne pas. Le comprend-il seulement?

Louise Labé par contre s'accommode très bien de cette « paternité maritale ». Elle en profite, elle en abuse; et il lui sera facile de choisir l'indépendance, elle qui n'a point de souci d'argent, ni le souci d'être fidèle à l'époux, ni le souci de plaire à un monde qu'elle n'a plus à conquérir, mais qui est maintenant à ses pieds. L'extérieur brillant de la vie est en effet une magnifique protection pour une « vie intérieure » absolument libre. Louise Labé, devenue la Belle Cordière (il était de coutume de surnommer la femme à partir de la profession du mari et ceci sans intention péjorative) a une belle existence : elle ne manque de rien, les plus belles parures sont à sa portée, sa demeure

102

est somptueuse. Elle y reçoit dès les premières heures de la matinée et jusqu'au soir dans sa chambre ou dans ses jardins qu'elle fait dessiner et redessiner au gré de ses amours ou des entrées des rois. De telles réceptions avaient-elles le caractère de tête-à-tête ou de réunions d'érudits. Nous sommes bien mal renseignés pour trancher, et cela a peu d'importance. Ce qui compte, par contre, c'est de savoir que Louise Labé recevait chez elle, et recevait des hommes célèbres (elle l'écrit dans son épître, et au-delà des injures les libelles en vers d'Olivier de Magny le confirment). De plus, Louise Labé ne semble pas avoir eu d'enfant, ou tout au moins on n'en a jamais retrouvé la trace. Vie donc pour la Belle Cordière de luxe, de plaisirs, d'honneurs... ce qui exclut sans restriction possible qu'elle puisse s'être donnée pour de l'argent, comme ses premiers détracteurs l'ont fait croire. De telle sorte qu'au cœur de ce qui pourrait paraître la prison dorée offerte par un vieil époux, il est facile à Louise Labé de se rendre libre de ses faits et gestes car elle a le temps de se consacrer à elle-même.

Mais cette première liberté, cette première émancipation demeure encore une mode, des coutumes en provenance de l'Italie. Elle s'y abandonne avec délices parce que cela lui paraît le devoir d'une Dame de son niveau de fortune. Seulement, au milieu des autres et du monde qu'elle reçoit, elle s'émancipe une seconde fois en profondeur, elle conserve intact son « quant à soi », elle se proclame sans le dire indépendante, elle se veut sans qu'on le sache totalement délivrée. Elle est délivrée des contingences matérielles, elle le sera des exigences mondaines et morales, elle voudra l'être des existences superficielles et artificielles, y compris la sienne. Un seul acte public de ce dégagement de l'esprit et du cœur : la publication de son livre, de ses œuvres.

Un seul acte public, mais que l'on ne pardonnera pas à la Belle Cordière parce qu'il vient de faire tomber les masques.

Elle ne peut plus jouer, ni se jouer, elle vient d'étaler tout son jeu. Des atouts maîtres et trop sincères pour que toutes les cartes qui restent dans les autres mains n'apparaissent pas truquées ou fausses ou hypocritement importantes. Nous retrouvons là une idée déjà émise à propos de l'œuvre d'une « femme ». Mais il y a plus encore. L'œuvre est manifestement détachée de la bourgeoisie lyonnaise et des grands du monde : aucun texte de Louise Labé n'est écrit à partir d'un événement historique ou dédié à un puissant du jour, ce qui la différencie encore de tous les autres poètes-courtisans y compris Ronsard, et ce qui prouve que sa sécurité matérielle était telle qu'elle n'avait nullement besoin de rechercher des protecteurs à sa gloire mondaine et littéraire pourtant si attaquée. De même l'œuvre est désespérément muette sur tout ce qu'a pu voir son auteur : les retours de prison, les intrigues, les départs en guerre, le tric ou grève des ouvriers typos en 1539 en compagnie des ouvriers en drap d'or, les soulèvements des artisans accablés de taxes alors que les marchands en sont exemptés... Ce silence ? De l'indépendance certainement. Du mépris peut-être. De la volonté de ne pas vouloir intervenir dans un ordre social qui lui souriait, plus sûrement. N'allons donc pas exiger de Louise Labé une dénonciation des injustices d'une société fondée sur l'illégitimité des privilèges et sur la force des privilégiés à conserver leurs avantages acquis. Mais à ce niveau-là l'indépendance n'est plus un engagement, mais un dégagement et ce souci de la non-intervention trahit un désir certain de conservatisme. Pourtant l'on peut se demander aussi si ce n'est point par facilité que la Belle Cordière a cédé dans sa conduite mondaine aux modes et coutumes, l'abandon ici d'une quelconque originalité comme l'abandon d'une quelconque réflexion à l'événement lui permettant de pousser plus avant l'originalité de ses écrits et plus profondément la réflexion sur le seul sujet de ses écrits : l'amour.

Un exemple encore : Louise Labé a vu se développer dans la bourgeoisie lyonnaise les idées de la Réforme, elle a assisté aux querelles entre huguenots et clergé catholique, comme elle a peut-être assisté place des Terreaux à l'exécution par le feu et pour crime d'hérésie de cinq étudiants languedociens en 1553... De même, elle n'a pas pu ignorer qu'en 1561, au cours de l'émeute catholique de la Fête-Dieu, Barthélemy Aneau est assassiné, qu'en 1562 la ville est livrée pour un an au baron des Adrets et à ses destructions... Elle a d'autant moins ignoré ces événements que pour cette raison aussi elle se réfugia à Parcieux en Dombes, tandis que tous les biographes s'accordent à penser que la crainte des représailles de part et d'autre lui a fait brûler ce qu'elle pouvait avoir de lettres « des Lyonnais célèbres » et peut-être des textes. Mais ne l'oublions pas, son livre est paru en 1555. Fait-il mention de ces troubles, ou simplement fait-il allusion à des débats de conscience? Aucunement. La foi ne signifie rien non plus pour la Belle Cordière, elle est païenne, nous dirions aujourd'hui « laïque ». Il est vrai que Dieu est cité plusieurs fois, mais il est toujours cité non comme le point de départ d'une affirmation ou d'une inquiétude, mais comme un concept commode pour désigner une sorte de témoin supérieur, une sorte de lecteur plus privilégié. Quant à « prirey » et aux autres mentions de ces prières, Louise Labé ne les emploie pas comme manifestations de sa croyance, mais comme moyens pour lutter contre son obsession de la mort. Ce n'est pas Dieu, ou un dieu qu'elle prie, mais l'existence en général pour que celle-ci dure ou s'abrège, pour que son corps soit satisfait ou qu'il se résigne.

En vérité, puisque Louise Labé a toujours su mettre entre elle et les événements une distance respectueuse, il eût été étonnant qu'elle en vienne à prendre parti entre ceux qui étaient partisans d'innovations et ceux qui étaient attachés aux conservations. Pour elle huguenots ou catholiques sont dignes d'intérêt ou d'absence d'intérêt, la foi étant une illusion, ou une fiction, ou le produit d'un déterminisme astrologique. Si bien qu'elle recevra les uns comme les autres, qu'elle dédicacera son ouvrage à Clémence de Bourges dont le père abrite dans sa maison des offices protestants, mais qui est morte avec tous les honneurs de l'Eglise; si bien aussi que Marot comme Maurice Scève écrivent des poèmes à sa louange tandis qu'elle est liée d'amitié à un prince catholique, Guillaume de Sacconay... si bien que son indépendance, puis la publication de ses œuvres lui valent d'être traitée de la plus perfide manière. N'est-ce pas le très chrétien Claude de Rubys qui écrivit « *cette impudique Loyse Labé, que chacun sait avoir fait profession de courtisane publique jusques à sa mort...* », n'est-ce pas aussi ce seigneur de Vauprivas Antoine du Verdier qui déclara « *pour dire en un mot, elle faisait part de son corps à ceux qui fonçoyent* »... mais n'est-ce pas Calvin qui dans un pamphlet contre le chanoine de l'Eglise de Lyon Sacconay « *s'oublie jusqu'à la qualifier en des termes d'une verdeur populacière* » (A. M. Schmidt). Ainsi Louise Labé qui sans doute évita de choisir pour garder sa liberté, était tout à la fois victime de son absence d'option, et de la présence au sein de ceux qui l'entourent d'options trop catégoriques. L'autonomie de Louise Labé vis-à-vis du monde, des événements et des croyances peut donc être considérée comme un amoralisme dont la seule règle contradictoirement serait « protégeons-nous » et dont l'apparent abandon aux coutumes et aux convenances serait la meilleure couverture.

Il reste que pour Louise Labé comme pour tous les poètes de la Renaissance d'ailleurs, les commentateurs s'acharnent à expliquer « religieusement et philosophiquement » toute une mythologie. Aussi bien dans le *Débat* que dans les sonnets ou dans les Elégies une place de premier plan est accordée à Jupiter, Apollon, Mercure, Mars, Vénus... et autres demi-dieux!

Mais quelle est la signification de cette importance ? Est-elle une recherche humaniste aux sources, est-elle une soumission à un paganisme répandu depuis l'abbé de Saint-Cosme et Marsile Ficin, et qui mêle sans retenue l'Ancien Testament et Platon, le Nouveau Testament et les divinités grecques, est-elle encore une glorification de la Nature, nature qui, derrière ses attributs habituels (le Soleil, les nymphes...), cacherait d'autres instincts divinisés pour les besoins de la cause et baptisés des noms de l'Olympe pour les commodités du langage ? Or, dans l'œuvre de Louise Labé, et même si ces dieux et ces déesses y agissent en toute quiétude, rien ne permet de conclure pour l'une ou l'autre de ces trois hypothèses. Recherche humaniste, mais la poétesse est trop en création continue et libérée pour se conformer aux quêtes de son temps; paganisme qui s'appuierait sur la confusion du Christ et d'Orphée, mais cette position supposerait un choix que la poétesse n'a jamais voulu faire; universalité cosmique régulatrice des êtres et des choses, mais la Belle Cordière a rejeté avec trop de force les croyances néo-platoniciennes pour accepter ces pseudo-crédits scientifiques... Une quatrième explication pourrait situer plus raisonnablement la mythologie de Louise Labé, mythologie où abondent les lieux communs et les symboles en honneur au XVIe siècle depuis le *Roman de la Rose* et Jean de Meung. Selon Luc Van Brabant, en effet, Louise Labé serait marquée astrologiquement par Vénus : sa naissance sous le signe du Verseau dans la décade gouvernée par Vénus, sa grande beauté, sa devise « je meurs de jour et brusle la nuict », dénonceraient cette planète. Or si cette référence à l'astrologie est séduisante pour l'esprit quand on sait la gloire que connut cette science au XVIe siècle, et quand on sait que chaque prince ou homme célèbre se faisait toujours accompagner d'un astrologue, il est difficile de lui accorder pleine autorité en raison des méthodes d'investigation de Luc Van Brabant. Celui-ci a fixé, grâce aux anagrammes, la naissance de Louise Labé entre le 20 et le 29 janvier 1520 (ancienne chronologie) et il lit derrière ce qu'il appelle la devise de la Belle Cordière « *Louyse Labé, mitre du cueur trensi* » en prenant mitre pour maîtresse. D'où ses déductions, et son commentaire par rapport à l'astrologie. Mais tant que la clé de ces anagrammes m'aura pas été mise à jour par cet érudit flamand, nous demeurerons sceptique quant à ses découvertes, même si cette astrologie et les signes classent facilement Louise Labé dans une des trois catégories d'êtres établies à l'époque : ceux qui sont libres (les deux autres étant ceux qui sont sans force et ceux qui sont sans bonheur...). Et cette réserve, même si Louise Labé, être libre, renforce l'idée longuement développée de son indépendance.

Les raisons alors de la présence de Jupiter, Apollon, Vénus...? Rien à voir avec une raison philosophique, avec un courant mystico-scientifique, ou même avec un souci de connaissance. La raison est plus simple, mais plus essentielle. Les mythes incarnés par les Dieux et les déesses ne sont pour Louise Labé que des personnages, des interprètes, des porte-parole. Jupiter Vénus, Mars, Mercure... sont des noms connus des lecteurs ils sont fréquemment cités. Ils participent à toute la vie littéraire de la Renaissance, et ceci, depuis Du Bellay officiellement mais bien avant en tant qu'hostiles aux créances moyenâgeuses. Ils sont donc des « familiers », ils sont une « mode » au même titre qu'étaient des modes l'emploi de l'élégie et l'usage des écrits à la louange de... Et Louise Labé de se plier là encore à cette mode. Elle fait appel à l'Olympe, mais dans les aspects extérieurs, dans les apparences variables de la Grèce à Rome en un mot elle utilise la parure, l'enveloppe des mots. Mais elle ajuste cette donnée de son temps et ces élégances des termes à ses idées et à ses jugements personnels, éminemment personnels. De telle sorte que l'on entendra Apollon et Mercure se faire les avocats de la Belle Cordière dans son procès des méthodes d'asservissement amoureux et féminin. Habileté suprême

du créateur véritable reprenant des moules archi-usés et épui-
sés, des matrices polies par l'utilisation pour en faire naître
des formes inconnues, inattendues, pour en faire surgir une
structure originale de l'expression amoureuse et de l'amour. On
pense à Baudelaire faisant jaillir des thèmes plastiques de Goya
et de Delacroix un univers physique de l'amour qui lui est éminemment propre.

★

Tant de concordances autorisent déjà une première conclusion : si les fortunes paternelles, maritales de Louise Labé et
la richesse de Lyon ont permis l'envol de la poétesse, ces
mêmes fortunes vont, peut-être sans le vouloir, mais vont tout
de même lui couper les ailes. Dès 1556, en effet, dans la grande
demeure de la Belle Cordière, les visiteurs se font rares; et
dans le monde où les fêtes vont diminuant après le départ des
rois et des poètes se chuchotent les perfidies tandis que dans
les rues on chante de bien vilaine façon une Dame lyonnaise.
Louise Labé, un temps, essaie de résister, de retrouver l'ordre
établi, et que son petit livre a bousculé. Elle multiplie les
dépenses... Mais cette année-là et les suivantes on peut cons-
tater dans les *Nommées de Lyon* ou listes de ceux qui sont
taxés, que les impôts d'Ennemond Perrin vont, malgré l'alour-
dissement des charges, en diminuant; donc ses biens diminuent
aussi. En 1558 le vieux cordier malade s'arrête de travailler,
et Louise Labé abandonne définitivement son rang. Elle « prend
sa retraite ». Peut-être écrit-elle encore? Témoin le sonnet
retrouvé par Turquety, témoin aussi cette phrase de Pernetti dans
ses *Recherches pour servir à l'histoire de Lyon* : « M. Besson
a vu beaucoup de vers latins de la composition de Louise Labé
entre les mains du P. Menestrier qui se sont perdus sans
doute avec tant d'autres manuscrits de ce grand homme. » Mais

pour nous, le silence de Louise Labé après 1556 demeure total. Lyon a tué l'ambiguïté de cette situation extraordinaire : une femme soumise apparemment, indépendante sans le paraître. Lyon d'ailleurs va, tout autour de Louise Labé, poursuivre l'accumulation de résonances tragiques. En 1559, Olivier de Magny meurt, en 1560 Maurice Scève disparaît, en 1561 Clémence de Bourges succombe à l'amour, en 1565 Ennemond Perrin s'éteint après avoir fait de sa toujours jeune épouse sa légataire universelle, ce qui serait encore une preuve de son attachement à la femme qui le fit peut-être moins souffrir qu'on l'a dit. La donation est importante, et Louise Labé se découvre alors une vocation pratique. Elle se rappelle que le monde existe, que malgré tous ses efforts, elle doit à quelqu'un, elle doit aux autres, à ceux qui ne l'ont pas abandonnée dans les jours de tristesse comme ce Thomas Fortini, à ceux qui l'ont soignée, à ceux qui partagent cet exil de Parcieu en Dombes dans cette propriété qu'elle a héritée de sa mère. Alors la Belle Cordière adopte une attitude de morale passive; elle essaie par un testament plein de bonté et de dons de faire son salut sans risque pour elle maintenant qu'elle s'est retirée. Elle se veut édifiante dans ses dernières paroles parce que celles-ci arrivent dans une société ravagée par les violences, les remous religieux, et même un mal implacable. Un an avant de succomber elle aussi à l'épidémie de peste, elle dicte donc son testament, le 28 avril 1565, qui lègue à ses neveux et à ses amis une fortune encore confortable, notamment avec les propriétés de la rue Confort, de Parcieu, et de Saint-Jean de Turignieu. Les témoins de cet acte : quatre Italiens sur sept personnes; et parmi ces sept personnes, des fournisseurs, des voisins, des amis. Un seul rescapé des temps de splendeur : Thomas Fortini. Jusqu'à son lit de mort Lyon a été cruelle pour Louise Labé. Elle mourut oubliée de tous en avril 1566. La date de cette mort fait à peu près l'unanimité de ses biographes depuis l'abbé Pernetti jusqu'à Luc Van

Brabant, et cela à quelques jours près. D'ailleurs ce qui est certain, c'est que le 3o août 1566, Thomas Fortini paya à Claude de Bourg un peu plus de douze livres pour faire tailler et poser la pierre tombale de Louise Labé, pierre portant « escripteaux et armes » et que l'on n'a, hélas! jamais retrouvée.

Voilà donc Louise Labé disparue à quarante-quatre ans en ne laissant que les textes de ceux qui l'ont condamnée d'avoir voulu s'affranchir, et un seul volume d'écrits témoignant de cette indépendance face à autrui et face aux autres, et témoignant de la distance prise par rapport aux événements. Une aveugle aveuglée par l'Amour et guidée par la Folie, celle-là même qui fait abdiquer les jugements critiques les plus raisonnables...

V

Nous pensons donc qu'il n'est point excessif de prétendre maintenant que Louise Labé, face à sa ville natale et face aux exigences de son époque, a tracé une courbe très pure, mais très marquée entre ce qui lui était nécessaire et ce qui lui était pesant, entre ce qui lui apparaissait utile et ce qui lui paraissait futile, entre ce qui fut son indépendance et ce qui aurait pu être son esclavage. Une telle sélection n'a rien de naturel : elle permet seulement de témoigner pour celle qui résiste et elle permet aussi à l'œuvre de se libérer de l'enfer de son temps. Bien sûr, cela n'est pas un réconfort, et encore moins une récompense, pour une ville rayonnante, qui fit naître, vivre, mais aussi taire et mourir, l'auteur de cette œuvre si libre qu'aujourd'hui elle est toujours libératrice. Mais cet abandon, cette absence de reconnaissance, qui semble un accablement, nous avons vu qu'il était indispensable. Il fut facilité, c'est vrai. Louise Labé a choisi en liberté. Il n'en fut pas moins honnête et assuré, car Louise Labé n'hésita pas à exposer son livre à cette frontière de ses adhésions et de ses refus, sachant bien qu'il souffrirait de tout ce qu'elle subirait comme meurtrissures.

Nous ne sommes plus en 1555... Le petit livre de Louise Labé est non seulement présent, il rajeunit de jour en jour comme il a rajeuni au travers des quatre siècles d'Histoire. Et cela parce qu'il n'est point englué par les solutions d'un moment, par les vérités et les erreurs d'une certaine société littéraire à une époque donnée, parce qu'il n'a point défendu l'ordre traditionnel, mais appris à s'en abstraire. Certes, cela ne saurait nous suffire aujourd'hui, mais il y avait là une amorce de réflexion politique et révolutionnaire, le recul par rapport à l'événement étant une condition nécessaire pour aborder la critique de l'événement. Nos premiers révolutionaires ne s'y trompèrent pas qui firent de Louise Labé un symbole de liberté. L'*Almanach de Lyon* en 1790 décrit ainsi le drapeau du XIX° bataillon de la Garde nationale, bataillon dit de la Belle Cordière :

« Louise Charly, femme d'un cordier, fit en 1550, un poème sur la liberté. Sa beauté et sa science ont fourni l'emblème suivant : la Belle Cordière est vêtue simplement, assise sur un lion; une guirlande de fleurs lui descend de l'épaule gauche au côté droit; de la main droite, elle tient une pique entrelacée de lis et surmontée du chapeau de Guillaume Tell, restaurateur de la liberté helvétique; est encore adapté à ladite pique un ruban sur lequel est cette légende :

> *Tu prédis nos destins, Charly, Belle Cordière,*
> *Car pour briser nos fers, tu volas la première...*

« de l'autre côté du ruban est :

> *Belle Cordière, ton espoir n'était pas vain.*

« Au dit drapeau est le panache aux trois couleurs. De la main gauche elle tient son poème sur la liberté française qui est appuyée sur un globe terrestre. Le lion tient sous une de ses pattes le livre de la Constitution; à côté est l'autel de la patrie où brûle le feu du patriotisme; d'un côté est une plante d'olivier, signe de la paix; et de l'autre une de laurier, signe de la gloire; des livres en désordre à ses pieds, qui désignent la science. »

Mais il reste que Louise Labé, si elle a pu sans le vouloir servir de guide et d'étendard à des conquêtes futures du peuple lyonnais, ne fut vraiment révolutionnaire pour son temps que sur le seul plan de l'amour. Le sujet, le thème unique de son livre. Seulement en faisant de ce sujet l'objet et la grande ambition de sa poésie et de sa prose, elle en a éclairé les aspects les plus essentiels et les plus durables, car ils sont dégagés des conventions de son époque, des systématisations du platonisme, des intoxications et des asphyxies de la galanterie pétrarquiste. C'est pour elle-même que Louise Labé s'est efforcée d'être charnellement vraie dans l'amour, et s'est efforcée d'en détailler minutieusement le processus et les jouissances ou les insatisfactions. Mais c'est pour nous que, ne s'en remettant jamais qu'à sa propre chair et à son propre corps elle montre combien l'amour est illusoire et fabriqué sans la nudité, et sans l'intervention des caresses et de la chaleur du sang. De telle sorte qu'en mettant à jour ce que l'on cache ou ce que l'on tait habituellement dans les échanges amoureux, elle a donné à l'amour une de ses voix les plus authentiques, une de ses paroles les plus brûlantes, un ses langages les plus délicieux. Le délice du fruit rare parce que défendu, mais sans l'acidité du fruit vert de la licence. La passion de Louise Labé est réelle sans réalisme, voluptueuse sans érotisme. Elle est pudique, fémininement pudique.

Et cela, au point que Louise Labé est aujourd'hui le type de la femme lyonnaise. Elle incarne pour beaucoup cette idée tellement ancienne que l'on oublie qu'elle est peut-être traditionnelle et qu'elle ne correspond sans doute plus à la nature des choses, que la femme lyonnaise a un charme séduisant « résidant dans un penchant très prononcé pour les plaisirs des sens, dissimulé sous beaucoup d'indifférence affectée et de pudeur ».

114

Un tel portrait correspond parfaitement à Louise Labé, comme il correspond à ces autres Lyonnaises célèbres que sont Marceline Desbordes-Valmore et Juliette Récamier. Les analogies sont troublantes : ces amis que l'on appelle amants et qui vous entachent une réputation, ces amants que l'on baptise Olivier, ces élégies ou ces lettres passionnées... en même temps ce perpétuel contrôle de soi, cette retenue qualifiée par les étrangers de froideur. Lamartine disait en songeant à Marceline : « Décence grave qui est comme la sainteté de la beauté... passions à l'ombre », et Edouard Herriot ajoutait en parlant de Juliette : « Juliette Récamier n'eût-elle pas pu dire elle-même ce que l'on écrit de sa ville natale : elle n'a jamais été possédée par aucun seigneur... ».

Si bien que de cet archétype hors du temps on a fait un mythe. Louise Labé, mythe parmi tant d'autres de l'éternel féminin. Du mythe la poétesse a la « force de séduction » et ce côté historique qui se moque de l'histoire. Comment ce mythe est-il né ? Comme tous les mythes : d'abord sur la confusion d'une réalité (l'indépendance de Louise Labé) et d'une légende abondamment diffusée (Louise Labé courtisane); ensuite sur la cristallisation des désirs et des besoins d'une époque dans le personnage de la Belle Cordière (ses contemporains ne l'aimaient pas, mais elle incarnait ce qu'ils auraient voulu pouvoir aimer); enfin sur la hantise que les bonnes consciences ont de voir ce personnage être pris comme modèle, comme exemple, comme idéal.

De telle sorte qu'en ce qui concerne Louise Labé, elle qui serait le point de départ de cette éternelle femme lyonnaise, il faut se demander si les traits ont surgi du dessin même offert par la Belle Cordière, ou si au contraire on a, par la suite, fait cadrer le dessin avec ces traits. Qui peut fournir une réponse objective, indiscutable et impartiale ? L'œuvre, et l'œuvre seule, à lire, à relire, à faire lire, aujourd'hui comme demain. Mon souci constant aura été de vous conduire à cette nécessité, j'allais écrire à cette obligation, avec l'espoir de se faire oublier du lecteur, mais avec l'espérance que vous aimerez comme je l'aime cette œuvre de Louise Labé. Et nous l'avons dit, cette œuvre prouvant à tout être humain que l'existence est d'abord expérience, c'est l'ouverture jusqu'à l'infini des possibilités de l'amante et de l'amant, c'est la volupté dominée... Louise Labé serait donc bien le modèle des femmes lyonnaises « éprises qu'elles sont de certaines fêtes naturelles de la vie ».

CE QU'ON A DIT DE LOUISE LABÉ

FRANÇOIS DE BILLON

Pour mieux amplifier l'histoire antique de Cléopâtre, on s'efforce souvent de l'accoupler à une moderne, par exemple quelque pauvre simplette ou plutôt la Belle Cordière de Lyon en ses appas les plus savoureux : sans qu'on ait l'entendement de considérer que s'il y a une chose qui puisse être taxée dans la vie, les hommes premièrement en sont cause comme auteurs de tous les maux en toutes créatures...

Le Fort Inexpugnable de l'Honneur du Sexe féminin, 1555.

GUILLAUME PARADIN

Elle avait la face plus angélique qu'humaine : mais ce n'était rien à la comparaison de son esprit tant chaste, tant vertueux, tant poétique, tant rare en savoir, qu'il semblait qu'il eût été créé de Dieu pour être admiré comme un grand prodige entre les humains... et cette nymphe ne s'est pas seulement fait connaître par ses écrits mais aussi par sa grande chasteté.

Mémoires pour servir à l'histoire de Lyon, 1573.

ANTOINE DU VERDIER

... Ce n'est pas seulement pour être courtisane que je lui donne place en cette bibliothèque, mais seulement pour avoir écrit.

Bibliothèque, 1585.

PIERRE BAYLE

Cette femme faisait en même temps déshonneur aux lettres, et honneur : elle les déshonorerait, puisqu'étant auteur elle menait une vie de courtisane, et elle les honorait, puisque les savants étaient mieux reçus chez elle sans rien payer que les ignorants prêts à lui compter une bonne somme.

Dictionnaire Historique et Critique, 1720.

PERNETTI

Une des rares Lyonnaises dignes de mémoire...

Les Lyonnais dignes de mémoire, 1757.

. . . .
Et tu chantas l'Amour ! Ce fut ta destinée.
Femme ! Et belle ! Et naïve, et du monde étonnée !
De la foule qui passe évitant la faveur,
Inclinant sur ton fleuve un front tendre et rêveur,
Louise ! Tu chantas. A peine de l'enfance
Ta jeunesse hâtive eut perdu les liens,
L'amour te prit sans peur, sans débats, sans défense;
Il fit tes jours, tes nuits, tes tourments et tes biens.
. . . .
Et toujours par ta chaîne au rivage attachée
Comme une nymphe ardente au milieu des roseaux,
        Des roseaux à demi-cachés,
Louise, tu chantas dans les fleurs et les eaux...

Pauvres Fleurs, et autres poésies, 1839.

SAINTE-BEUVE

Louise Labé, telle qu'on la rêve de loin et telle que nous l'avons devinée d'après ses aïeux, demeure, par plus d'un aspect, le type poétique et brillant de la race des femmes lyonnaises, éprises qu'elles sont de certaines fêtes naturelles de la vie.

Portraits contemporains et divers, 1846.

CHARLES BOY

Aucun critique, à ma connaissance du moins, n'a fait remarquer que les sonnets de Louise Labé ne sont pas des morceaux détachés, sans suite entre eux, et disposés au hasard de la plume ou suivant le caprice de l'imprimeur. Chacun d'eux représente en miniature un épisode du poème inépuisable de l'amour, et l'ensemble forme comme un collier de camées dont les figurines nous en représentent les rêves, les aspirations, les troubles et les désirs, puis les bonheurs, puis le réveil et la désillusion, avec son cortège de larmes, de regrets et de désolations.

Louise Labé, Œuvres, 1887.

RAINER-MARIA RILKE

Que Clémence de Bourges ait dû mourir à son aurore. Elle qui n'avait pas sa pareille; parmi les instruments dont elle savait jouer comme nulle autre, le plus beau, joué de façon inoubliable même dans le moindre son, de sa voix. Sa jeunesse était si hautement résolue qu'une amoureuse pleine d'élan put dédier à ce cœur naissant le livre de sonnets dans lequel chaque vers était inassouvi. Louise Labé ne craignit pas d'effrayer cette enfant par les longues souffrances de l'amour. Elle lui montrait la montée nocturne du désir et lui promettait la douleur comme un univers agrandi; et elle soupçonnait qu'avec sa douleur pleine d'expérience elle était loin d'atteindre cette attente obscure qui faisait belle cette adolescente.

Les Cahiers de Malte Laurids Brigge, 1910.

118

DOROTHY O'CONNOR

Elle fut lyonnaise. Elle le fut pour dire exclusivement, car elle appartenait à une famille très nombreuse d'artisans lyonnais, elle habitait au centre de la ville qu'elle ne quitta pas, à ce que nous sachions, que pour visiter ses terres à Parcieux en Dombes. D'autres poètes vont, viennent, font le voyage d'Italie : elle s'entretient avec eux, elle les suit de l'esprit, à leur retour elle se fait conter leurs aventures, mais elle-même ne voyage pas. Ainsi elle reflète d'une façon tout à fait particulière la vie littéraire à Lyon dans la première moitié du siècle.

Louise Labé, sa vie, son œuvre, thèse, 1926.

MATHIEU VARILLE

J'ai vu Louise Labé comme un être charmant, un bibelot précieux de l'intelligence et de la beauté, avec ses talents, avec ses charmes, avec ses faiblesses qui la rendent peut-être encore plus attachante.

Les amours de Louise Labé, 1929.

ÉMILE HENRIOT

En dépit d'un verbe encore hésitant, ces vers, écrits avant Ronsard, gardent à nos yeux une fraîcheur délicieusement spontanée, et qui étonne. C'est sans doute que l'auteur avait quelque chose à dire et que ce quelque chose est vrai.

Portraits de femmes, 1950.

ALBERT-MARIE SCHMIDT

Louise Labé essaie de fonder sur les sables mouvants et chauds de la chair un bonheur toujours menacé. Elle n'a pas besoin d'espérer pour se lancer dans cette entreprise. Elle y persévère avec opiniâtreté sans se flatter d'y réussir, tout en exhalant les rauques plaintes d'une sensualité qui, tout à tour atteinte, pénétrée, moquée, meurtrie, ne croit pas sans hésitation à sa propre réalité.

Poètes du XVIe, 1953.

VICTOR KLEMPERER

D'une façon générale, elle ne fut vraiment reconnue qu'au XIXe siècle, Et il se passa encore bien du temps avant que l'on ne saisisse la pleine valeur de ses sonnets, qui sont aujourd'hui comptés parmi les plus beaux présents de l'ensemble du lyrisme français, et sont estimés par cette élite internationale que l'on nomme les lettres universelles.

Hommage à Victor Klemperer, 1961.

LUC VAN BRABANT

Ma conviction est que Louise Labé ne fut pas une courtisane. Sa mauvaise réputation est due en premier lieu à Marot, ensuite à ses propres idées et actions d'avant-garde et d'émancipation. L'affaire Yvard ne lui fit pas de bien et la haine d'Olivier de Magny fut sa couronne d'épines.

Lettre personnelle à l'auteur, septembre 1961.

ŒUVRES COMPLÈTES
de
LOUISE LABÉ

Pour établir le texte de notre édition nous nous sommes basés sur les Evvres de Lovïze Labé Lionnoize « revues et corrigées par ladite Dame », et publiées à Lyon par Jean de Tournes en 1556. Et pour respecter l'authenticité de cette œuvre, lui garder son charme et sa musicalité, nous avons renoncé à réformer une syntaxe parfois difficile et une orthographe inhabituelle à nos yeux de lecteur du XXᵉ siècle. Mais nous avons pensé qu'en présentant les sonnets sous leur forme aérée et en disposant les œuvres non pas comme dans le petit livre de La Belle Cordière, mais dans l'ordre des plus connues au moins connues des sonnets au Débat... nous facilitions la lecture qui aplanit petit à petit les obstacles.

LES SONNETS

SONNET I

Non havria Ulysse o qualunqu' altro mai
Piu accorto fù, da quel divino aspetto
Pien di gratie, d'honor e di rispetto
Sperato qual i sento affanni e guai.

Pur, Amour, co i begli ochi tu fatt' hai
Tal piaga dentro al mio innocente petto,
Di cibo e di calor gia tuo ricetto,
Che rimedio non v'e si tu n'el dai.

O sorte dura, che mi fa esser quale
Punta d'un Scorpio, e domandar riparo
Contr' el velen' dall' istesso animale.

Chieggio li sol' ancida questa noia,
Non estingua el desir à me si caro,
Che mancar non potra ch'i non mi muoia.

Traduction en vieux français

Ulysse ni personne mieulx prudente
N'auroit predict que de ce doux aspect
Tant plein de grace et d'honneur et respect,
Le mal naistroit qui mon ame tourmente.

123

De toy, Amour, ma poitrine innocente,
Où ton ardeur son logis avoit faict,
Par ces beaux yeux feust percée d'un traict
Sans garison, fors qu'en toy je la sente.

Estrange sort, tel si le dard me poinct
D'un scorpion, et remède n'ay poinct
Si n'est le sien, qu'avecques soy il porte.

Je le requiers de me bailler soulas,
Mais n'esteignant désir qui me conforte,
Lequel failli, tost sonneroit mon glas.

Traduction d'après édition des sonnets
en provençal et en italien d'Hamelin
à Montpellier en 1882.

★

Traduction en français moderne

Point n'eût Ulysse — ou si quelqu'un jamais
plus subtil fut — de ce divin visage
rempli d'honneurs, de grâces et d'égards
prévu ces deuils et tourments que j'endure.

Pourtant, Amour, tes beaux yeux ont ouvert
telle blessure en ce cœur innocent,
déjà ta proie et séjour de ta flamme,
que de toi seul peut venir le remède.

Cruel destin, qui, me piquant au dard
du scorpion, ne me promet secours
que du venin même qui m'a blessée...

124

Oh ! je t'en prie, éteins la seule peine
mais laisse-moi ce désir précieux,
sinon, hélas ! il faudra que j'en meure.

Traduction du docteur Robert Vivier
publiée par Luc Van Brabant.

SONNET II

O beaus yeus bruns, ô regars destournez,
O chaus soupirs, ô larmes espandues,
O noires nuits vainement atendues,
O jours luisans vainement retournez :

O tristes pleins, ô desirs obstinez,
O tems perdu, ô peines despendues,
O mile morts en mile rets tendues,
O pire maus contre moy destinez.

O ris, ô front, cheveus, bras, mains et doits :
O lut pleintif, viole, archet et vois :
Tant de flambeaux pour ardre une femmelle !

De toy me plein, que tant de feus portant,
En tant d'endrois d'iceus mon cœur tatant,
N'en est sur toy volé quelque estincelle.

SONNET III

O longs desirs, ô esperances vaines,
Tristes soupirs et larmes coutumieres
A engendrer de moy maintes rivieres,
Dont mes deus yeux sont sources et fontaines :

125

O cruautez, ô durtez inhumaines,
Piteus regars des celestes lumieres :
Du coeur transi ô passions premieres,
Estimez vous croître encore mes peines ?

Qu'encor Amour sur moy son arc essaie,
Que nouveaus feus me gette et nouveaus dars :
Qu'il se despite, et pis qu'il pourra face :

Car je suis tant navree en toutes pars,
Que plus en moy une nouvelle plaie,
Pour m'empirer ne pourroit trouver place.

SONNET IV

Depuis qu'Amour cruel empoisonna
Premierement de son feu ma poitrine,
Tousjours brulay de sa fureur divine,
Qui un seul jour mon cœur n'abandonna.

Quelque travail, dont assez me donna,
Quelque menasse et procheine ruïne :
Quelque penser de mort qui tout termine,
De rien mon cœur ardent ne s'estonna.

Tans plus qu'Amour nous vient fort assaillir,
Plus il nous fait nos forces recueillir,
Et tousjours frais en ses combats fait estre :

Mais ce n'est pas qu'en rien nous favorise,
Cil qui les Dieus et les hommes mesprise :
Mais pour plus fort contre les fors paroitre.

126

SONNET V

Clere Venus, qui erres par les Cieus,
Entens ma voix qui en pleins chantera,
Tant que ta face au haut du Ciel luira
Son long travail et souci ennuieus.

Mon œil veillant s'atendrira bien mieus,
Et plus de pleurs te voyant gettera,
Mieus mon lit mol de larmes baignera,
De ses travaus voyant témoins tes yeux.

Donq des humains sont les lassez esprits
De dous repos et de sommeil espris.
J'endure mal tant que le Soleil luit :

Et quand je suis quasi toute cassee,
Et que me suis mise en mon lit lassee,
Crier me faut mon mal toute la nuit.

SONNET VI

Deus ou trois fois bienheureus le retour
De ce cler Astre, et plus heureus encore
Ce que son oeil de regarder honore.
Que celle là recevroit un bon jour,

Qu'elle pourroit se vanter d'un bon tour
Qui baiseroit le plus beau don de Flore,
Le mieus sentant que jamais vid Aurore,
Et y feroit sur ses levres sejour !

C'est à moy seule à qui ce bien est du,
Pour tant de pleurs et tant de tems perdu :
Mais le voyant, tant lui feray de feste,

Tant emploiray de mes yeus le pouvoir,
Pour dessus lui plus de credit avoir,
Qu'en peu de tems feray grande conqueste.

SONNET VII

On voit mourir toute chose animee
Lors que du corps l'ame sutile part :
Je suis le corps, toy la meilleure part :
Ou es tu donq, ô âme bien aymee ?

Ne me laissez pas si long tems pamee
Pour me sauver apres viendrois trop tard.
Las, ne mets point ton corps en ce hazart;
Rens lui sa part et moitié estimee.

Mais fais, Ami, que ne soit dangereuse
Cette rencontre et revuë amoureuse,
L'accompagnant, non de severité,

Non de rigueur : mais de grace amiable,
Qui douçement me rende ta beauté,
Jadis cruelle, à present favorable.

SONNET VIII

Je vis, je meurs : je me brule et me noye,
J'ay chaut estreme en endurant froidure :
La vie m'est et trop molle et trop dure.
J'ay grans ennuis entremeslez de joye :

Tout à un coup je ris et je larmoye,
Et en plaisir maint grief tourment j'endure :
Mon bien s'en va, et à jamais il dure :
Tout en un coup je seiche et je verdoye.

Ainsi Amour inconstamment me meine :
Et quand je pense avoir plus de douleur,
Sans y penser je me treuve hors de peine.

Puis quand je croy ma joye estre certeine,
Et estre au haut de mon desiré heur,
Il me remet en mon premier malheur.

SONNET IX

Tout aussi tot que je commence à prendre
Dens le mol lit le repos desiré,
Mon triste esprit hors de moy retiré
Sen va vers toy incontinent se rendre.

Lors m'est avis que dedens mon sein tendre
Je tiens le bien, ou j'ay tant aspiré,
Et pour lequel j'ay si haut souspiré,
Que de sanglots ay souvent cuidé fendre.

129

O dous sommeil, ô nuit à moy heureuse!
Plaisant repos, plein de tranquilité,
Continuez toutes les nuiz mon songe :

Et si jamais ma povre ame amoureuse
Ne doit avoir de bien en verité,
Faites au moins qu'elle en ait en mensonge.

SONNET X

Quand j'aperçoy ton blond chef couronné
D'un laurier verd, faire un Lut si bien pleindre,
Que tu pourrois à te suivre contreindre
Arbres et rocs : quand je te vois orné,

Et de vertus dix mile environné,
Au chef d'honneur plus haut que nul ateindre,
Et des plus hauts les louenges esteindre :
Lors dit mon cœur en soy passionné :

Tant de vertus qui te font estre aymé,
Qui de chacun te font estre estimé,
Ne te pourroient aussi bien faire aymer ?

Et ajoutant à ta vertu louable
Ce nom encor de m'estre pitoyable,
De mon amour doucement t'enflamer ?

SONNET XI

O dous regars, ô yeus pleins de beauté
Petis jardins, pleins de fleurs amoureuses
Ou sont d'Amour les flesches dangereuses,
Tant à vous voir mon œil s'est arresté!

O cœur felon, ô rude cruauté,
Tant tu me tiens de façons rigoureuses,
Tant j'ay coulé de larmes langoureuses,
Sentant l'ardeur de mon cœur tourmenté!

Donques, mes yeus, tant de plaisir avez,
Tant de bons tours par ses yeus recevez :
Mais toy, mon cœur, plus les vois s'y complaire,

Plus tu languiz, plus en as de souci,
Or devinez si je suis aise aussi,
Sentant mon œil estre à mon cœur contraire.

SONNET XII

Lut, compagnon de ma calamité,
De mes soupirs témoin irreprochable,
De mes ennuis controlleur veritable,
Tu as souvent avec moy lamenté :

Et tant le pleur piteus t'a molesté,
Que commençant quelque son delectable,
Tu le rendois tout soudein lamentable.
Feignant le ton que plein avoit chanté.

Et si te veus efforcer au contraire,
Tu te destens et si me contreins taire :
Mais me voyant tendrement soupirer,

Donnant faveur à ma tant triste pleinte :
Et mes ennuis me plaire suis contreinte,
Et d'un dous mal douce fin esperer.

SONNET XIII

Oh si j'estois en ce beau sein ravie
De celui là pour lequel vois mourant :
Si avec lui vivre le demeurant
De mes cours jours ne m'empeschoit envie :

Si m'acollant me disoit, chere Amie,
Contentons nous l'un l'autre, s'asseurant
Que ja tempeste, Euripe, ne Courant
Ne nous pourra desjoindre en notre vie :

Si de mes bras le tenant acollé,
Comme du Lierre est l'arbre encercelé,
La mort venoit, de mon aise envieuse :

Lors que souef plus il me baiseroit,
Et mon esprit sur ses levres fuiroit,
Bien je mourrois, plus que vivante, heureuse.

SONNET XIV

Tant que mes yeus pourront larmes espandre,
A l'heur passé avec toy regretter :
Et qu'aus sanglots et soupirs resister
Pourra ma voix, et un peu faire entendre :

Tant que ma main pourra les cordes tendre
Du mignart Lut, pour tes graces chanter :
Tant que l'esprit se voudra contenter
De ne vouloir rien fors que toy comprendre :

132

Je ne souhaite encore point mourir.
Mais quand mes yeus je sentiray tarir,
Ma voix cassee, et ma main impuissante,

Et mon esprit en ce mortel sejour
Ne pouvant plus montrer signe d'amante :
Prirey la Mort noircir mon plus cler jour.

SONNET XV

Pour le retour du soleil honorer,
Le Zephir, l'air serein lui apareille :
Et du sommeil l'eau et la terre esveille,
Qui les gardoit l'une de murmurer,

En dous coulant, l'autre de se parer
De mainte fleur de couleur nompareille.
Ja les oiseaus et arbres font merveille,
Et aus passans font l'ennui moderer :

Les Nynfes ja en mile jeus s'esbatent
Au cler de Lune, et dansans l'herbe abatent :
Veus tu Zephir de ton heur me donner,

Et que par toy toute me renouvelle ?
Fay mon Soleil devers moy retourner,
Et tu verras s'il ne me rend plus belle.

SONNET XVI

Apres qu'un tems la gresle et le tonnerre
Ont le haut mont de Caucase batu,
Le beau jour vient, de lueur revêtu
Quand Phebus ha son cerne fait en terre,

Et l'Ocean il regaigne à grand erre :
Sa seur se montre avec son chef pointu.
Quand quelque temps le Parthe ha combatu,
Il prent la fuite et son arc il desserre.

Un tems t'ay vu et consolé pleintif,
Et défiant de mon feu peu hatif :
Mais maintenant que tu m'as embrasee,

Et suis au point auquel tu me voulois,
Tu as ta flame en quelque eau arrosee,
Et es plus froit qu'estre je ne soulois.

SONNET XVII

Je fuis la vile, et temples, et tous lieus,
Esquels prenant plaisir à t'ouir pleindre,
Tu peus, et non sans force, me contreindre
De te donner ce qu'estimois le mieus.

Masques, tournois, jeus me sont ennuieus,
Et rien sans toy de beau ne me puis peindre :
Tant que tachant à ce desir esteindre,
Et un nouvel obget faire à mes yeus,

134

Et des pensers amoureus me distraire,
Des bois espais sui le plus solitaire :
Mais j'aperçoy, ayant erré maint tour,

Que si je veus de toi estre delivre,
Il me convient hors de moymesme vivre,
Ou fais encor que loin sois en sejour.

SONNET XVIII

Baise m'encor, rebaise moy et baise :
Donne m'en un de tes plus savoureus,
Donne m'en un de tes plus amoureus :
Je t'en rendray quatre plus chaus que braise.

Las, te plein tu ? ça que ce mal j'apaise,
En t'en donnant dix autres doucereus.
Ainsi meslans nos baisers tant heureus
Jouissons nous l'un de l'autre à notre aise.

Lors double vie à chacun en suivra.
Chacun en soy et son ami vivra.
Permets m'Amour penser quelque folie :

Tousjours suis mal, vivant discrettement,
Et ne me puis donner contentement,
Si hors de moy ne fay quelque saillie.

SONNET XIX

Diane estant en l'espesseur d'un bois,
Apres avoir mainte beste assenee,
Prenoit le frais, de Nynfes couronnee :
J'allois resvant comme fay maintefois,

Sans y penser : quand j'ouy une vois,
Qui m'apela, disant, Nynfe estonnee,
Que ne t'es tu vers Diane tournee ?
Et me voyant sans arc et sans carquois,

Qu'as tu trouvé, ô compagne, en ta voye,
Qui de ton arc et flesches ait fait proye ?
Je m'animay, respons je, à un passant,

Et lui getay en vain toutes mes flesches
Et l'arc apres : mais lui les ramassant
Et les tirant me fit cent et cent bresches.

SONNET XX

Predit me fut, que devoit fermement
Un jour aymer celui dont la figure
Me fut descrite : et sans autre peinture
Le reconnu quand vy premierement :

Puis le voyant aymer fatalement,
Pitié je pris de sa triste aventure :
Et tellement je forçay ma nature,
Qu'autant que lui aymay ardentement.

136

Qui n'ust pensé qu'en faveur devoit croitre
Ce que le ciel et destins firent naitre ?
Mais quand je voy si nubileus aprets,

Vents si cruels et tant horrible orage :
Je croy qu'estoient les infernaus arrets,
Qui de si loin m'ourdissoient ce naufrage.

SONNET XXI

Quelle grandeur rend l'homme venerable ?
Quelle grosseur ? quel poil ? quelle couleur ?
Qui est des yeux le plus emmieleur ?
Qui fait plus tot une playe incurable ?

Quelle chant est plus à l'homme convenable ?
Qui plus penetre en chantant sa douleur ?
Qui un dous lut fait encore meilleur ?
Quel naturel est le plus amiable ?

Je ne voudrois le dire assurément,
Ayant Amour forcé mon jugement :
Mais je say bien et de tant je m'assure,

Que tout le beau que l'on pourroit choisir,
Et que tout l'art qui ayde la Nature,
Ne me sauroient acroitre mon desir.

SONNET XXII

Luisant Soleil, que tu es bien heureus,
De voir tousjours de t'Amie la face :
Et toy, sa sœur, qu'Endimion embrasse,
Tant te repais de miel amoureus.

Mars voit Venus : Mercure aventureus
De Ciel en Ciel, de lieu en lieu se glasse :
Et Jupiter remarque en mainte place
Ses premiers ans plus gays et chaleureus.

Voilà du Ciel la puissante harmonie,
Qui les esprits divins ensemble lie :
Mais s'ils avoient ce qu'ils ayment lointein,

Leur harmonie et ordre irrevocable
Se tourneroit en erreur variable,
Et comme moy travailleroient en vain.

SONNET XXIII

Las! que me sert, que si parfaitement
Louas jadis et ma tresse doree,
Et de mes yeus la beauté comparee
A deus Soleils, dont Amour finement

Tira les trets causes de ton tourment ?
Ou estes vous, pleurs de peu de duree ?
Et Mort par qui devoit estre honoree
Ta ferme amour et iteré serment ?

138

Donques c'estoit le but de ta malice
De m'asservir sous ombre de service ?
Pardonne moy, Ami, à cette fois,

Estant outree et de despit et d'ire :
Mais je m'assure, quelque part que tu sois,
Qu'autant que moy tu soufres de martire.

SONNET XXIV

Ne reprenez, Dames, si j'ay aymé :
Si j'ay senti mile torches ardantes,
Mile travaus, mile douleurs mordantes :
Si en pleurant, j'ay mon tems consumé,

Las que mon nom n'en soit par vous blamé.
Si j'ay failli, les peines sont presentes,
N'aigrissez point leurs pointes violentes :
Mais estimez qu'Amour, à point nommé,

Sans votre ardeur d'un Vulcan excuser,
Sans la beauté d'Adonis acuser,
Pourra, s'il veut, plus vous rendre amoureuses :

En ayant moins que moy d'ocasion,
Et plus d'estrange et forte passion.
Et gardez vous d'estre plus malheureuses.

SONNET XXV
(*dit de la Belle Cordière*)

Las! cestuy jour, pourquoy l'ai-je du voir;
Puisque ses yeus alloient ardre mon ame?
Doncques, Amour, fault-il que par ta flame
Soit transmué notre heur en desespoir!

Si on sçavoit d'aventure prevoir
Ce que vient lors, plaincts, pointures et blasme;
Si fresche fleur esvanouir son basme
Et que tel jour faist esclore tel soir;

Si on sçavoit la fatale puissance,
Que viste aurois eschappé sa presence!
Sans tarder plus, que viste l'aurois fui!

Las! las! que dy-je? O si pouvoit renaistre
Ce jour tant dous où je le vis paroistre,
Oysel leger, comme j'irois à luy!

140

LES ÉLÉGIES

I

Au temps qu'Amour, d'hommes et Dieus vainqueur
Faisoit bruler de sa flamme mon cœur
En embrassant de sa cruelle rage
Mon sang, mes os, mon esprit et courage :
Encore lors je n'avois la puissance
De lamenter ma peine et ma souffrance.
Encore Phebus, ami des Lauriers vers,
N'avois permis que je fisse des vers :
Mais meintenant que sa fureur divine
Remplit d'ardeur ma hardie poitrine,
Chanter me fait, non les bruians tonnerres
De Jupiter, ou les cruelles guerres,
Dont trouble Mars quand il veut, l'Univers.
Il m'a donné la lyre, qui les vers
Souloit chanter de l'Amour Lesbienne :
Et à ce coup pleurera de la mienne.
O dous archet, adouci moy la vois,
Qui pourroit fendre et aigrir quelquefois,
En récitant tant d'ennuis et douleurs,
Tant de despits, fortunes et malheurs.
Trempe l'ardeur dont jadis mon cœur tendre
Fut en brulant demi réduit en cendre.
Je sens desja un piteus souvenir

Qui me contreint la larme à l'œil venir.
Il m'est avis que je sen les alarmes,
Que premiers j'u d'Amour, je voy les armes,
Dont il s'arma en venant m'assaillir.
C'estoit mes yeus, dont tant faisois saillir
De traits, à ceus qui trop me regardoient,
Et de mon arc assez ne se gardoient,
Mes ces miens traits ces miens yeus me defirent
Et de vengeance estre exemple me firent.
Et me moquant, et voyant l'un aymer,
L'autre bruler et d'Amour consommer :
En voyant tant de larmes espandues,
Tant de soupirs et prieres perdues,
Je n'aperçu que soudein me vint prendre
Le mesme mal que je soulois reprendre :
Qui me persa d'une telle furie,
Qu'encor n'en suis encor contreinte
De rafreschir d'une nouvelle pleinte
Mes maus passez. Dames, qui les lirez,
De mes regrets avec moy soupirez.
Possible, un jour je feray le semblable,
Et ayderay votre voix pitoyable
A vos travaux et peines raconter,
Au temps perdu vainement lamenter.
Quelque rigueur qui loge en votre cœur,
Amour s'en peut un jour rendre vainqueur.
Et plus aurez lui esté ennemies,
Pis vous fera vous sentant asservies.
N'estimez point que lon doive blamer
Celles qu'a fait Cupidon enflammer.
Autres que nous, nonobstant leur hautesse,
Ont enduré l'amoureuse rudesse :
Leur cœur hautain, leur beaute, leur lignage,

Ne les ont su preserver du servage
De dur Amour : les plus nobles esprits
En sont plus fort et plus soudein espris
Semiramis, Royne tant renomee
Qui mit en route avecques son armee
Les noirs squadrons des Ethiopiens,
Et en montrant louable exemple aus siens
Faisoit couler de son furieus branc
Des ennemis les plus braves le sang,
Ayant encor envie de conquerre
Tous ses voisins, ou leur mener la guerre,
Trouva Amour, qui si fort la pressa,
Qu'armes et lois vaincue elle laissa.
Ne meritoit sa Royalle grandeur
Au moins avoir un moins fascheus malheur
Qu'aymer son fils ? Royne de Babylonne,
Ou est ton cœur qui es combaz resonne ?
Qu'est devenu ce fer et cet escu,
Dont tu rendois le plus brave veincu ?
Ou as tu mis la Marciale creste,
Qui obombroit le blond or de ta teste ?
Ou est l'espee, ou est cette cuirasse,
Dont tu rompois des ennemis l'audace ?
Ou sont fuiz tes coursiers furieus,
Lesquels trainoient ton char victorieus ?
T'a pù si tot un foible ennemi rompre ?
Ha pù si tot ton cœur viril corrompre,
Que le plaisir d'armes plus ne te touche :
Mais seulement languis en une couche ?
Tu as laissé les aigreurs Marciales,
Pour recouvrer les douceurs geniales.
Ainsi Amour de toy t'as estrangee
Qu'on te diroit en une autre changee,

143

Donques celui lequel d'amour esprise
Pleindre me voit, que point il ne mesprise
Mon triste deuil : Amour, peut estre, en brief
En son endroit n'aparoitra moins grief.
Telle j'ai vù qui avoit en jeunesse
Blamé Amour : après en sa vieillesse
Bruler d'ardeur, et pleindre tendrement
L'âpre rigueur de son tardif tourment.
Alors de fard et eau continuelle
Elle essayoit se faire venir belle,
Voulant chasser le ridé labourage,
Que l'aage avoit gravé sur son visage.
Sur son chef gris, elle avoit empruntee
Quelque perruque, et assez mal antee :
Et plus estoit à son gré bien fardee,
De son Ami moins estoit regardee :
Lequel ailleurs fuiant n'en tenoit conte,
Tant lui sembloit laide, et avoit grand'honte
D'estre aymé d'elle. Ainsi la povre vieille
Recevoit bien pareille pour pareille,
De maints en vain un tems fut reclamee,
Ores qu'elle ayme, elle n'est point aymee.
Ainsi Amour prend son plaisir, à faire
Que le veuil d'un soit à l'autre contraire.
Tel n'ayme point qu'une Dame aymera :
Tel ayme aussi, qui aymé ne sera :
Et entretient, neanmoins, sa puissance
Et sa rigueur d'une vaine esperance.

II

D'un tel vouloir le serf point ne desire
La liberté, ou son port le navire,
Comme j'atens, helas ! de jour en jour
De toy, Ami, le gracieus retour.
Là, j'avois mis le but de ma douleur,
Qui finiroit, quand j'aurois ce bon heur
De te revoir : mais de la longue atente,
Helas ! en vain mon desir se lamente.
Cruel, Cruel, qui te faisoit promettre
Ton brief retour en ta premiere lettre ?
As tu si peu de memoire de moy,
Que de m'avoir si tot rompu la foy ?
Comme ose tu ainsi abuser celle
Que de tout tems t'a esté si fidelle ?
Or' que tu es aupres de ce rivage
Du Pan Cornu, peut estre ton courage
S'est embrasé d'une nouvelle flame,
En me changeant pour prendre une autre Dame :
Jà en oubli, inconstamment est mise
La loyauté que tu m'avois promise.
S'il est ainsi, et que desja la foy
Et la bonté se retirent de toy :
Il ne me faut emerveiller si ores
Toute pitié tu as perdu encores.
O combien ha de pensee et de creinte,

Tout aparsoy, l'ame d'Amour ateinte!
Ores je croy, vù notre amour passee,
Qu'impossible est, que tu m'aies laissee :
Et de nouvel ta foy je me fiance,
Et plus qu'humeine estime ta constance.
Tu es, peut estre, en chemin inconnu
Outre ton gré malade retenu.
Je croy que non : car tant suis coutumiere
De faire aus Dieus pour ta santé priere
Que plus cruels que tigres ils seroient,
Quand maladie ils te prochasseroient :
Bien que ta fole et volage inconstance
Meriteroit avoir quelque soufrance.
Telle est ma foy, qu'elle pourra sufire
A te garder d'avoir mal et martire.
Celui qui tient au haut Ciel son Empire
Ne me sauroit, ce me semble, desdire :
Mais quand mes pleurs et larmes entendroit
Pour toi pryans, son ire il retiendroit.
J'ai de tout tems vescu en son service.
Sans me sentir coulpable d'autre vice
Que de t'avoir bien souvent en son lieu
D'amour forcé, adoré comme Dieu.
Desja deus fois depuis le promis terme
De ton retour, Phebe ses cornes ferme,
Sans que de bonne ou mauvaise fortune
De toy, Ami, j'aye nouvelle aucune.
Si toutefois, pour estre enamouré
En autre lieu, tu as tant demeuré,
Si say je bien que t'amie nouvelle
A peine aura le renom d'estre telle,
Soit en beauté, vertu, grace et faconde,
Comme plusieurs gens savans par le monde

146

M'ont fait à tort, ce croy je, estre estimee.
Mais qui pourra garder la renommee ?
Non seulement en France suis flatee,
Et beaucoup plus, que ne veus, exaltee.
La terre aussi que Calpe et Pyrenee
Avec la mer tiennent environnee,
Du large Rhin les roulantes areines,
Le beau païs auquel or' te promeines
Ont entendu (tu me l'as fait à croire)
Que gens d'esprit me donnent quelque gloire.
Goute le bien que tant d'hommes desirent :
Demeure au but ou tant d'autres aspirent :
Et croy qu'ailleurs n'en auras une telle.
Je ne dy pas qu'elle ne soit plus belle :
Mais que jamais femme ne t'aymera,
Ne plus que moy d'honneur te portera.
Maints grans Signeurs à mon amour pretendent,
Et à me plaire et servir prets se rendent,
Joutes et jeus, maintes belles devises
En ma faveur sont par eus entreprises :
Et neanmoins tant peu je m en soucie,
Que seulement ne les en remercie :
Tu es tout seul, tout mon mal et mon bien :
Avec toy tout, et sans toy je n'ay rien :
Et n'ayant rien qui plaise à ma pensee,
De tout plaisir me treuve delaissee,
Et pour plaisir, ennui saisir me vient.
Le regretter et plorer me convient,
Et sur ce point entre un tel desconfort,
Que mile fois je souhaite la mort.
Ainsi, Ami, ton absence lointeine
Depuis deus mois me tient en cette peine,
Ne vivant pas, mais mourant d'un Amour

Lequel m'occit dix mile fois le jour.
Revien donq tot, si tu as quelque envie
De me revoir encor un coup en vie.
Et si la mort avant ton arrivee
Ha de mon corps l'aymante ame privee,
Au moins un jour vien, habillé de dueil,
Environner le tour de mon cercueil.
Que plust à Dieu que lors fussent trouvez
Ces quatre vers en blanc marbre engravez.
PAR TOY, AMY, TANT VESQUI ENFLAMMEE,
QU'EN LANGUISSANT PAR FEU SUIS CONSUMEE,
QUI COUVE ENCOR SOUS MA CENDRE EMBRAZEE,
SI NE LA RENDS DE TES PLEURS APAIZEE.

III

Quand vous lirez, ô Dames Lionnoises,
Ces miens escrits pleins d'amoureuses noises,
Quand mes regrets, ennuis, despits et larmes
M'orrez chanter en pitoyables carmes,
Ne veuillez point condamner ma simplesse,
Et jeune erreur de ma fole jeunesse,
Si c'est erreur : mais qui dessous les Cieus
Se peut vanter de n'estre vicieus ?
L'un n'est content de sa sorte de vie,
Et toujours porte à ses voisins envie :
L'un forcenant de voir la paix en terre,
Par tous moyens tache y mettre la guerre :

L'autre croyant povreté estre vice,
A autre Dieu qu'Or, ne fait sacrifice :
L'autre sa foy parjure il emploira
A decevoir quelcun qui le croira :
L'un en mentant de sa langue lezarde,
Mile brocars sur l'un et l'autre darde :
Je ne suis point sous ces planettes nee,
Qui m'ussent pù tant faire infortunee.
Onques ne fut mon œil marri, de voir
Chez mon voisin mieus que chez moy pleuvoir.
Onq ne mis noise ou discord entre amis :
A faire gain jamais ne me soumis.
Mentir, tromper, et abuser autrui,
Tant m'a desplu, que mesdire de lui.
Mais si en moy rien y ha d'imparfait,
Qu'on blame Amour : c'est lui seul qui l'a fait.
Sur mon verd aage en ses laqs il me prit,
Lors qu'exerçoi mon corps et mon esprit
En mile et mile euvres ingenieuses,
Qu'en peu de tems me rendit ennuieuses.
Pour bien savoir avec l'esguille peindre
J'usse entrepris la renommee esteindre
De celle là, qui plus docte que sage,
Avec Pallas comparoit son ouvrage.
Qui m'ust vu lors en armes fiere aller,
Porter la lance et bois faire voler,
Le devoir faire en l'estour furieus,
Piquer, volter le cheval glorieus,
Pour Bradamante, ou la haute Marphise,
Seur de Roger, il m'ust, possible, prise.
Mai quoy ? Amour ne put longuement voir
Mon cœur n'aymant que Mars et le savoir :
Et me voulant donner autre souci,

En souriant, il me disoit ainsi :
Tu penses donq, ô Lyonnoise Dame,
Pouvoir fuir par ce moyen ma flame :
Mais non feras, j'ai subjugué les Dieus
Es bas Enfers, en la mer et es Cieus.
Et penses tu que n'aye tel pouvoir
Sur les humeins, de leur faire savoir
Qu'il n'y a rien qui de ma main eschape ?
Plus fort se pense et plus tot je le frape.
De me blamer quelquefois tu n'as honte,
En te fiant en Mars dont tu fais conte :
Mais meintenant, voy si pour persister
En le suivant me pourras resister
Ainsi parloit, et tout eschaufé d'ire
Hors de sa trousse une sagette il tire,
Et decochant de son estreme force,
Droit la tira contre ma tendre escorce :
Foible harnois, pour bien couvrir le cœur,
Contre l'Archer qui tousjours est vainqueur.
La bresche faite, entre Amour en la place,
Dont le repos premierement il chasse :
Et de travail qui me donne sans cesse,
Boire, menger, et dormir ne me laisse.
Il ne me chaut de soleil ne d'ombrage :
Je n'ay qu'Amour et feu en mon courage,
Qui me desguise, et fait autre paroitre,
Tant que ne peu moymesme me connoitre.
Je n'avois vù encore seize Hivers,
Lors que j'entray en ces ennuis divers :
Et jà voici le treizième Esté
Que mon cœur fut par Amour arresté.
Le tems met fin aus hautes Pyramides,
Le tems met fin aus fonteines humides

Il ne pardonne aus braves Colisees
Il met à fin les viles plus prisees :
Finir aussi il ha acoutume
Le feu d'Amour tant soit il allumé :
Mais, las ! en moy il semble qu'il augmente
Avec le tems, et que plus me tourmente.
Paris aima Œnone ardemment,
Mais son amour ne dura longuement :
Medee fut aymee de Jason,
Qui tot apres la mit hors sa maison.
Si meritoient elles estre estimees,
Et pour aymer leurs Amis, estre aymees.
S'estant aymé on peut Amour laisser.
N'est il raison, ne l'estant, se lasser ?
N'est il raison te prier de permettre,
Amour, que puisse à mes tourmens fin mettre ?
Ne permets point que de Mort face espreuve,
Et plus que toy pitoyable la treuve :
Mais si tu veus que j'ayme jusqu'au bout,
Fay que celui que j'estime mon tout,
Qui seul me peut faire plorer et rire,
Et pour lequel si souvent je soupire,
Sente en ses os, en son sang ? en son ame,
Ou plus ardente, ou bien egale flame.
Alors ton faix plus aisé me sera,
Quand avec moy quelcun le portera.

ÉPITRE A « AMCDBL »

Estant le tems venu, Madamoiselle, que les severes loix des hommes n'empeschent plus les femmes de s'apliquer aux sciences et disciplines : il me semble que celles qui ont la commodité, doivent employer cette honneste liberté que notre sexe ha autrefois tant desiré, à icelles aprendre et montrer aus hommes le tort qu'ils nous faisoient en nous privant du bien et de l'honneur qui nous en pouvoit venir : Et si quelcune parvient en tel degré, que de pouvoir mettre ses concepcions par escrit, le faire songneusement et non dédaigner la gloire, et s'en parer plustot que de chaines, anneaus, et somptueus habits : lesquels ne pouvons vrayment estimer notres, que par usage. Mais l'honneur que la science nous procurera, sera entièrement notre : et ne nous pourra être oté, ne par finesse de larron, ne force d'ennemis, ne longueur de tems. Si j'eusse esté tant favorisée des Cieus, que d'avoir l'esprit grand assez pour comprendre ce dont il ha u envie, je servirois en cet endroit plus d'exemple que d'amonicion. Mais ayant passé partie de ma jeunesse à l'exercice de la Musique, et ce qui m'a resté de tems l'ayant trouvé court pour la rudesse de mon entendement, et ne pouvant de moymesme satisfaire au bon vouloir que je porte à notre sexe, de le vouloir non en beauté seulement, mais en science et vertu passer ou égaler les hommes : je ne puis faire autre chose que prier les vertueuses Dames d'eslever un peu leurs esprits pardessus leurs quenoilles et fuseaus, et s'employer à faire entendre au monde que si nous ne sommes faites pour commander, si

ne devos estre desdaignees pour compagnes tant es afaires
domestiques que publiques, de ceux qui gouvernent et se font
obéir. Et outre la reputacion que notre sexe en recevra nous
aurons valù au publiq; que les hommes mettront plus de peine
et d'éstude aus sciences vertueuses de peur qu'ils n'ayent honte
de voir preceder celles, desquelles ils ont pretendu estre tou-
siours superieurs quasi en tout. Pource, nous faut il animer
l'une l'autre à si louable entreprise : De laquelle ne devez
eslongner ny espargner votre esprit, ià de plusieurs et diverses graces acompagné : ny votre jeunesse et autres faveurs de
fortune, pour aquerir cet honneur que les lettres et sciences ont
acoutumé porter aus personnes qui les fuyuent. S'il y ha quelque chose recommandable après la gloire et l'honneur, la plaisir que l'estude des lettres ha accoutumé donner nous y doit
chacune inciter : qui est autre que les autres recreations : desquelles quand on en ha pris tant que lon veut, on ne se peut
.vanter d'autre chose, que d'avoir passé le tems. Mais celle de
l'estude laisse un contentement de soy, qui nous demeure plus
longuement. Car le passé nous résiouit, et sert plus que le present : mais les plaisirs des sentimens se perdent incontinent,
et ne reviennent jamais, et en est quelquefois la memoire autant
facheuse, côme les actes ont esté delectables. Davantage les
autres voluptez sont telles, que quelque souvenir qui en vienne,
si ne nous peut il remettre en telle disposicion que nous estions :
et quelque imaginacion forte que nous imprimions en la teste, si
connoissons nous bien que ce n'est qu'une ombre du passé qui
nous abuse et trompe. Mais quand il avient que mettons par
escrit nos concepcions, combien que puis après notre cerveau
coure par une infinité d'afaires et incessamment remue, si est ce
que long tems apres reprenans nos escrits, nous revenons au
mesme point, et à la mesme disposicion ou nous estions. Lors
nous redouble nostre aise : car nous retrouvons le plaisir passé
qu'avons ù ou en la matière dont escrivions, ou en l'intelligêce

153

des sciences où lors estions adonnez. Et outre ce, le jugement que fors nos fecondes concepcions des premieres nous rend un singulier contentement. Ces deus biens qui proviennent d'escrire vous y doivent inciter, estant asseuree que le premier ne faudra acôpagner vos escrits, comme il fait tous vos autres actes et façons de vivre. Le second sera en vous de le prendre, ou ne l'avoir point : ainsi que ce dont vous escrirez vous contentera. Quant à moy tant en escrivant premierement ces jeunesses que en les revoyant depuis, je n'y cherchois autre chose qu'un hôneste passetems et moyen de fuir oisiveté : et n'avois point intencion que personne que moy les dust jamais voir. Mais depuis que quelcuns de mes amis ont trouvé moyen de les lire sans que j'en susse rien, et que (ainsi comme aisément nous croyons ceus qui nous louent) ils m'ont fait à croire que je les devois mettre en lumiere : je ne les ay osé escondure les menassant cependant de leur faire boire la moitié de la honte qui en proviendroit. Et pource que les femmes ne se montrent volontiers en publicq seules, je vous ay choisie pour me servir de guide, vous dediant ce petit œuvre, que ne vous envoie à autre fin que pour vous acertener du bon vouloir lequel de long tems je vous porte, et vous inciter et faire venir envie en voyant ce mien œuvre rude et mal bati, d'en mettre en lumière un autre qui soit mieus limé et de meilleure grace.

Dieu vous maintienne en santé.

De Lion ce 24 juillet 1555, votre humble amie Louïze Labé.

LE DÉBAT DE FOLIE ET D'AMOUR

ARGUMENT

Jupiter faisoit un grand festin, ou estoit cômandé à tous les Dieus se trouver. Amour et Folie arrivent au mesme instant sur la porte du Palais : laquelle estant ià fermee, et n'ayant que le guichet ouvert, Folie voyant Amour ià prest à mettre un pied dedens, s'avance et passe la premiere. Amour se voyant poussé, entre en colère : Folie soutient lui apartenir de passer devant. Ils entrent en dispute sur leurs puissances, dinitez et préseances. Amour ne la pouvant veincre de paroles, met la main à son arc, et lui lasche une flesche, mais en vain : pource que Folie soudein se rend invisible : et se voulant venger, ote les yeus à Amour. Et pour couvrir le lieu ou ils estoient, lui mit un bandeau, fait de tel artifice, qu'impossible est lui oter. Venus se pleint de Folie, Jupiter veut entendre leur diferent. Apolon et Mercure debatêt le droit de l'une et l'autre partie. Jupiter les ayant longuement ouiz, en demande l'opinion aus Dieus : puis prononce sa sentence.

Les personnes

FOLIE,	AMOUR,
VENUS,	JUPITER,
APOLON,	MERCURE,

DISCOURS I

FOLIE. — A ce que je voy, je seray la derniere au festin de Jupiter, ou je croy que lon m'attent. Mais je voy, ce me sem-

155

ble, le fils de Venus, qui y va aussi tart que moy. Il faut que je le passe : à fin que lon ne m'appelle tardive et paresseuse.

Amour. — Qui est cette fole qui me pousse si rudement ? quelle grande hâte la presse ? si je t'usse aperçue, je t'usse bien gardé de passer.

Folie. — Tu ne m'usses pû empescher, estant si jeune et foible. Mais à Dieu te command', je vois devant dire que tu viens tout à loisir.

Amour. — Il n'en ira pas ainsi : car autant que tu m'eschapes, je te doneray à connoitre que tu ne te dois atacher à moy.

Folie. — Laisse moy aller, ne m'arreste point : femme. Et si tu m'eschaufes une fois, tu n'auras du meilleur.

Amour. — Quelles menasses sont ce cy ? Je n'ay trouvé encore personne qui m'ait menacé que cette fole.

Folie. — Tu montres bien ton indiscrecion, de prendre en mal ce que je t'ay fait par jeu : et te mesconnois bien toymesme, trouvant mauvais que je pense avoir du meilleur si tu t'adresses à moy. Ne vois tu pas que tu n'es qu'un jeune garsonneau ? de si foible taille que quand j'aurois un bras lié, si ne te creindrois je gueres.

Amour. — Me connois tu bien ?

Folie. — Tu es Amour, fils de Venus.

Amour. — Comment doncques fais tu tant la brave aupres de moy, qui, quelque petit que tu me voyes, suis le plus creint et redouté entre les Dieux et les hommes ? et toy femme inconnue, oses tu te faire plus grande que moy ? ta jeunesse, ton sexe, ta façon de faire te dement assez : mais plus ton ignorance, qui ne te permets connoitre le grand degré que je tiens.

Folie. — Tu trionfes de dire. Ce n'est à moy à qui tu dois vendre tes coquilles. Mais di moy, quel est ce grand pouvoir dont tu te vantes.

Amour. — Le ciel et la terre en rendent témoignage. Il n'y

ha lieu ou n'aye laissé quelque trofee. Regarde au ciel tous les sieges des Dieus, et t'interrogue si quelcun d'entre eus s'est pù eschaper de mes mains. Commence au vieil Saturne, Jupiter, Mars, Apolon, et finiz aus Demidieus, Satires, Faunes et Silvains. Et n'auront honte les Deesses d'en confesser quelque chose. Et ne m'a Pallas espouventé de son bouclier : mais ne l'ay voulu interrompre de ses sutils ouvrages, ou jour et nuit elle s'emploie. Baisse toy en terre, et di si tu trouveras gens de marque, qui ne soient ou ayent esté des miens. Voy en la furieuse mer Neptune et ses Tritons, me prestans obeïssance. Penses tu que les infernaus s'en exemptent ? ne les ây je fait sortir de leurs abimes, et venir espouventer les humains, et ravir les filles à leurs meres : quelques juges qu'ils soient de tels forfaits et transgressions faites contre les loix ? Et à fin que tu ne doutes avec quelles armes je fay tant de prouesses, voilà mon Arc seul et mes flesches, qui m'ont fait toutes ces conquestes. Je n'ay besoin de Vulcan qui me forge de foudres, armet, escu, et glaive. Je ne suis acompagné de Furies, Harpies et tourmenteurs de monde, pour me faire creindre avant le combat. Je n'ay que faire de chariots, soudars, hommes d'armes et grandes troupes de gens : sans lesquelles les hommes ne trionferoient la bas, estant d'eus si peu de chose, qu'un seul (quelque fort qu'il soit et puissant) est bien empesché alencontre de deus. Mais je n'ay autres armes, conseil, municion, ayde, que moymesme. Quand je voy les ennemis en campagne, je me presente avec mon Arc : et laschant une flesche les mets incontinent en route : et est aussi tot la victoire gaignee, que la bataille donnée.

FOLIE. — J'excuse un peu ta jeunesse, autrement je te pourrois à bon droit nommer le plus presomptueus fol du monde. Il sembleroit à t'ouïr que chacun tienne sa vie de ta merci : et que tu sois le vray Signeur et seul souverein tant en ciel qu'en terre. Tu t'es mal adressé pour me faire croire le contraire de ce que je say.

AMOUR. — C'est une estrange façon de me nier tout ce que chacun confesse.

FOLIE. — Je n'ay afaire du jugement des autres : mais quant à moy, je ne suis si aisee à tromper. Me penses tu de si peu d'entendement, que je ne connoisse à ton port et à tes contenances, quel sens tu peus avoir ? Et me feras tu passer devant les yeus, qu'un esprit leger comme le tien, et ton corps jeune et flouet, soit dine de telle signeurie, puissance et autorité, que tu t'atribues ? Et si quelques aventures estranges, qui te sont avenues, te deçoivent, n'estime pas que je tombe en semblable erreur, sachant tresbien que ce n'est par ta force et vertu, que tant de miracles soient avenuz au monde : mais par mon industrie, par mon moyen et diligence : combien que tu ne me connoisses. Mais si tu veus un peu tenir moyen en ton courrous je te feray connoitre en peu d'heure ton arc et tes flesches, ou tant tu te glorifies, estre plus molz que paste, si je n'ai bandé l'arc et trempé le fer de tes flesches.

AMOUR. — Je croy que tu veus me faire perdre pacience. Je ne sache jamais que personne ait manié mon arc, que moy : et tu me veus faire à croire, que sans toy je n'en pourrois faire aucun effort. Mais puis qu'ainsi est que tu l'estimes si peu, tu en feras tout à cette heure la preuve.

> *Folie se fait invisible, tellement qu'Amour ne la peut assener.*

AMOUR. — Mais qu'es tu devenue ? Comment m'es tu eschapee ? Ou je n'ay sù t'ofenser, pour ne te voir, ou contre toy seule a rebouché ma flesche : qui est bien le plus estrange cas qui jamais m'avint. Je pensois estre seul d'entre les Dieus, qui me rendisse invisible à eus mesme quand bon me sembloit. Et maintenant ay trouvé qui m'a esbloui les yeus. Aumoins di moy, quiconque sois, si à l'aventure ma flesche ta frapee, et si elle t'a blessee.

FOLIE. — Ne t'avois je bien dit, que ton arc et tes flesches n'ont d'effort que quand je suis de la partie. Et pourautant qu'il ne m'a plu d'estre navree, ton coup a esté sans effort. Et ne t'esbahis si tu m'as perdue de vuë, car quand bon me semble, il n'y ha œil d'Aigle ou de serpent Epidaurien, qui me sache apercevoir. Et ne plus ne moins que le cameleon, je pren quelquefois la semblance de ceus auprès desquels je suis.

AMOUR. — A ce que je voy, tu dois estre quelque sorciere ou enchanteresse. Es tu point quelque Circe, ou Medee, ou quelque Fee ?

FOLIE. — Tu m'outrages toujours de paroles : et n'a tenu à toy que ne l'aye esté de fait. Je suis Deesse, comme tu es Dieu : mon nom est Folie. Je suis celle qui te fay grand, et abaisse à mon plaisir. Tu lasches l'arc, et gettes les flesches en l'air : mais je les assois aus cœurs que je veus. Quand tu te penses plus grand qu'il est possible d'estre, lors par quelque petit despit je te renge et remets avec le vulgaire. Tu t'adresses contre Jupiter : mais il est si puissant et grand, que si je ne dressois ta main, si je n'avois bien trempé ta flesche, tu n'aurois aucun pouvoir sur lui. Et quand toy seul ferois aymer, quelle seroit ta gloire, si je ne faisois paroitre cet amour par mile invencions ? Tu as fait aymer Jupiter : mais je l'ay fait transmuer en Cigne, en Taureau, en Or, en Aigle : en danger des plumassiers, des loups, des larrons, et chasseurs. Qui fit prendre Mars au piege avec ta mere, si non moy, qui l'avois rendu si mal avisé, que venir faire un povre mari cocu dedens son lit mesme ? Qu'ust ce esté, si Paris n'ust fait autre chose, qu'aymer Heleine ? Il estoit à Troye, l'autre à Sparte : ils n'avoient garde d'eus assembler. Ne lui fis-je dresser une armee de mer, aller chez Menelas, faire la court à sa femme, l'emmener par force, et puis defendre sa querele injuste contre toute la

159

Grece ? Qui ust parlé des Amours de Dido, si elle n'ust fait
semblant d'aller à la chasse pour avoir la commodité de parler
à Enee seule à seul, et lui montrer telle privauté qu'il ne
devoit avoir honte de prendre ce que volontiers elle ust donné,
si à la fin n'ust couronné son amour d'une miserable mort ?
On n'ust non plus parlé d'elle, que de mile autres hotesses,
qui font plaisir aus passans. Je croy qu'aucune mension ne serait
d'Artemise, si je ne lui usse fait boire les cendres de son mari.
Car qui ust sù si son affeccion ust passé celle des autres femmes, qui ont aymé, et regretté leurs maris et leurs amis ? Les
effets et issues des choses les font louer ou mepriser. Si tu fais
aymer, j'en suis cause le plus souvent. Mais si quelque estrange
aventure, ou grand effet en sort, en celà tu n'y as rien : mais en
est à moy seule l'honneur. Tu n'as rien que le cœur : le
demeurant est gouverné par moy. Tu ne scez quel moyen faut
tenir. Et pour te declarer qu'il faut faire pour complaire, je te
meine et condui; et ne te servent tes yeus non plus que la
lumiere à un aveugle. Et à fin que tu me reconnoisses dorenavant, et que me saches gré quant je te meneray ou conduiray :
regarde si tu vois quelque chose de toymesme ?

Folie bande Amour, et lui met des

AMOUR. — O Jupiter! ô ma mere Venus! Jupiter, Jupiter, que
m'a servi d'estre Dieu, fils de Venus tant bien voulu jusques
ici, tant au ciel qu'en terre, si je suis suget à estre injurié et
outragé, comme le plus vil esclave ou forsaire, qui soit au
monde ? Et qu'aucune femme inconnue m'ait pù crever les yeus ?
Qu'à la malheure fut ce banquet solennel institué pour moy.
Me trouverày je en haut avecques les autres Dieus en tel ordre ?
Ils se resjouiront, et ne feray que me pleindre. O femme cruelle!
comment m'as tu ainsi acoutré.

FOLIE. — Ainsi se chatient les jeunes et presomptueus comme

160

toy. Quelle temerité ha un enfant de s'adresser à une femme, et l'injurier et outrager de paroles : puis de voye de fait tacher à la tuer. Une autre fois estime ceus que tu ne connois estre, possible, plus grands que toy. Tu as ofensé la Royne des hommes, celle qui leur gouverne le cerveau, cœur, et esprit : à l'ombre de laquelle tous se retirent une fois en leur vie, et y demeurent les uns plus, les autres moins, selon leur mérite. Tu as ofensé celle qui t'a fait avoir le bruit que tu as : et ne s'est souciee de faire entendre au monde, que la meilleure partie du loz qu'il te donnoit, lui estait due. Si tu usses esté plus modeste, encore que je te fusse inconnue : cette faute ne te fust avenue.

AMOUR. — Comment est il possible porter honneur à une personne que l'on n'a jamais vuë ? Je ne t'ay point fait tant d'injures que tu dis, vù que ne te connoissois. Car si j'usse sû qui tu es, et combien tu as de pouvoir, je t'usse fait l'honneur que merite une grand'Dame. Mais il est possible, s'ainsi est que tant m'ayes aymé, et aydé en toutes mes entreprises, que m'ayant pardonné, me rendisses mes yeus ?

FOLIE. — Que tes yeus te soient renduz, ou non, il n'est en mon pouvoir. Mais je t'acoutreray bien le lieu ou ils estoient, en sorte que l'on n'y verra point de diformité.

Folie bande Amour, et lui met des esles.

Et ce pendant que tu chercheras tes yeus, voici des esles que je te preste, qui te conduiront aussi bien comme moy.

AMOUR. — Mais ou avois tu pris ce bandeau si à propos pour me lier mes plaies ?

FOLIE. — En venant j'ay trouvé une des Parques, qui me l'a baillé, et m'a dit estre de telle nature que jamais ne te pourra estre oté.

161

Amour. — Comment oté! Je suis donq aveugle à jamais. O meschante et traytresse! Il ne te suffit pas de m'avoir crevé les yeus, mais tu as oté aus Dieus la puissance de me les pouvoir jamais rendre. O qu'il n'est pas dit sans cause, qu'il ne faut point recevoir present de la main de ses ennemis. La malheureuse m'a blessé, et me suis mis entre ses mains pour estre pensé. O cruelles destinees! O noire journee! O moi trop credule! Ciel, Terre, et Mer, n'aurez-vous compassion de voir Amour aveugle ? O infame et detestable, tu te vanteras que ne t'ay pù fraper, que tu m'as oté les yeus, et trompé en me fiant en toy. Mais que me sert de plorer ici ? Il vaut mieux que me retire en quelque lieu apart, et laisse passer ce festin. Puis s'il est ainsi que j'aye tant de faveur au ciel ou en Terre : je trouveray moyen de me venger de la fausse Sorcière, qui tant m'a fait d'outrage.

DISCOURS II

Amour sort du Palais de Jupiter et va resvant à son infortune.

Amour. — Ores suis je las de toute chose. Il vaut mieus par despit descharger mon carquois, et getter toutes mes flesches, puis rendre arc et trousse à Venus ma mere. Or aillent ou elles pourront, ou en Ciel, ou en Terre, il ne m'en chaut : aussi bien ne m'est plus loisible faire aymer qui bon me semblera. O que ces belles Destinees ont aujourd'hui fait un beau trait, de m'avoir ordonné estre aveugle, à fin qu'indiferemment, et sans accepcion de personne, chacun soit au hazard de mes traits et de mes flesches. Je faisois aymer les jeunes pucelles, les jeunes homnes : j'acompagnois les plus jolies des plus beaux et plus adroits. Je pardonnois aux laides aux viles et basses personnes : je laissois la vieillesse en paix. Maintenant, pensant fraper un jeune, j'asseneray sus un vieillart : au lieu de quelque beau galand, quelque petit laideron à bouche torse : et aviendra qu'ils seront les plus amoureus, et qui plus voudront avoir de faveur en amours : et possible par importunité presens, ou richesses, ou disgrace de quelques Dames, viendront au-dessus de leur intencion : et viendra mon regne en mespris entre les hommes, quand ils verront tel desordre et tel mauvais gouvernement. Baste : en aille comme il pourra. Voilà toutes mes flesches. Tel en soufrira, qui n'en pourra mais.

Venus. — Il estoit bien tems que je te trouvasse, mon cher fils, tant tu m'as donné de peine. A quoi il tient que tu n'es venu au banquet de Jupiter ? Tu as mis toute la compagnie en peine. Et en parlant de ton absence, Jupiter ha ouy dix mile pleintes de toy d'une infinité d'artisans, gens de labeur, esclaves, chambrieres, vieillars, vieilles edentees, crians tous à Jupiter qu'ils ayment : et en sont les plus apparens fachez, trouvant mauvais, que tu les ayes en cet endroit egalez à ce vil populaire : et que la passion propre aus bons esprits soit aujourd'hui familiere et commune aus plus lourds et grossiers.

Amour. — Ne fust l'infortune, qui m'est avenue, j'usse assisté au banquet, comme les autres, et ne fussent les pleintes, qu'avez ouyes, esté faites.

Venus. — Es tu blessé mon fils ? Qui t'a ainsi bandé les yeux ?

Amour. — Folie ma tiré les yeux. Et de peur qu'ils ne me fussent renduz, elle m'a mis ce bandeau qui jamais ne me peut estre oté.

Venus. — O quelle infortune! he moy miserable! Donq tu ne me verras plus, cher enfant ? Au moins si te pouvois arroser la plaie de mes larmes.

AMOUR. — Tu perds ton tems : les neuz sont indissolubles.

VENUS. — O maudite ennemie de toute Sapience, ô femme abandonnee, ô à tort nommee Deesse, et à plus grand tort immortelle. Qui vid onq telle injure ? Si Jupiter et les Dieus me croient, à tout le moins que jamais cette meschante n'ait pouvoir sur toy, mon fils.

AMOUR. — A tart se feront ces défenses, il les failloit faire avant que je fusse aveugle : maintenant ne me serviront gueres.

VENUS. — Et donques Folie, la plus miserable chose du monde, ha le pouvoir d'oter à Venus le plus grand plaisir qu'elle ust en ce monde : qui estoit quand son fils Amour la voyoit. En ce estoit son contentement, son désir, sa félicité. Helas! fils infortuné. O desastre d'Amour! O mere desolee! O Venus sans fruit belle! Tout ce que nous acquerons, nous le laissons à nos enfans : mon tresor n'est que beauté de laquelle me chaut il à un aveugle ? Amour tant cheri de tout le monde, comme as tu trouvé beste si furieuse, qui t'ai fait outrage! Qu'ainsi soit dit, que tous ceus qui aymeront (quelque faveur qu'ils ayent) ne soient sans mal, et infortune, à ce qu'ils ne se dient plus heureus, que le cher fils de Venus.

AMOUR. — Cesse tes pleintes douce mere : et ne me redouble mon mal te voyant ennuiee. Laisse moy porter seul mon infortune : et ne desire point mal à ceus qui me suivront.

VENUS. — Allons, mon fils, vers Jupiter, et lui demandons vengeance de cette malheureuse.

DISCOURS III

VENUS. — Si onques tu uz pitié de moi, Jupiter, quand le fier Diomede me navra, lors que tu me voyois travailler pour sauver mon fils Enee de l'impetuosité des vents, vagues, et autres dangers, esquels il fut tant au siege de Troye, que depuis : si mes pleurs pour la mort de mon Adonis te murent à compassion : la juste douleur que j'ay pour l'injure faite à mon fils Amour, te devra faire avoir pitié de moy. Je dirois que c'est, si les larmes ne m'empeschoient. Mais regarde mon fils en quel estat il est, et tu connoitras pourquoi je me pleins.

JUPITER. — Ma chere fille, que gaignes tu avec ces pleintes me provoquer à larmes ? Ne scez tu l'amour que je t'ay portee de toute memoire ? As tu defiance, ou que je ne te veuille secourir, ou que je ne puisse ?

VENUS. — Estant la plus afligee mere du monde, je ne puis parler, que comme les afligees. Encore que vous m'ayez tant montré de faveur et d'amitié, si est ce que je n'ose vous supplier, que de ce que facilement vous otroiriez au plus estrange de la terre. Je vous demande justice, et vengeance de la plus malheureuse femme qui fust jamais qui m'a mis mon fils Cupidon en tel ordre que vous voyez. C'est Folie, la plus outrageuse Furie qui onques fut ez Enfers.

JUPITER. — Folie! ha elle esté si hardie d'atenter à ce, qui plus vous estoit cher ? Croyez que si elle vous ha fait tort, que telle punicion en sera faite, qu'elle sera exemplaire. Je pensois qu'il n'y ust plus debats et noises qu'entre les hommes : mais si cette outrecuidee ha fait quelque desordre si pres de ma personne, il lui sera cher vendu. Toutefois il la faut ouir, à fin qu'elle ne se puisse pleindre. Car encore que je pusse savoir de moymesme la verité du fait, si ne véus je point mettre en avant cette coutume, qui pourroit tourner à consequence, de condamner une personne sans l'ouir. Pource, que Folie soit apelee.

FOLIE. — Haut et souverein Jupiter, me voici preste à respondre à tout ce qu'Amour me voudra demander. Toutefois j'ay une requeste à te faire. Pource que je say que de premier bond la plus part de ces jeunes dieus seront du côté d'Amour, et pourront faire trouver ma cause mauvaise en m'interrompant, et ayder celle d'Amour, accompagnant son parler de douces acclamacions : je te supplie qu'il y ait quelcun des Dieus qui parle pour moy, et quelque autre pour Amour : à fin que la qualité des personnes ne soit plus tot consideree, que la verité du fait. Et pource que je crein ne trouver aucun, qui, de peur d'estre appelé fol, ou ami de Folie, veuille parler pour moy : je te supplie commander à quelcun de me prendre en sa garde et protection.

JUPITER. — Demande qui tu voudras, et je le chargeray de parler pour toy.

FOLIE. — Je te suplie donq que Mercure en ait la charge. Car combien qu'il soit des grans amis de Venus, si suis je seure, que s'il entreprent parler pour moy, il n'oubliera rien qui serve à ma cause.

JUPITER. — Mercure, il ne faut jamais refuser de porter parole. pour un miserable et afligé : Car ou tu le mettras hors de peine, et sera ta louenge plus grande, d'autant qu'auras moins ù de regard aux faveurs et richesses, qu'à la justice et droit d'un povre homme : ou ta priere ne lui servira de rien, et neanmoins ta pitié, bonté et diligence, seront recommandees. A cette cause tu ne dois diferer ce que cette povre afligee te demande : Et ainsi je veus et commande que tu le faces.

MERCURE. — C'est chose bien dure à Mercure moyenner desplaisir à Venus. Toutefois, puis que tu me contreins, je feray mon devoir tant que Folie aura raison de se contenter.

JUPITER. — Et toy, Venus, quel des Dieus choisiras tu ? L'affeccion maternelle que tu portes à ton fils, et l'envie de voir venger l'injure, qui lui ha esté faite, te pourroit transporter. Ton fils estant irrité, et navré recentement, n'y pourroit pareillement satisfaire. A cette cause, choisi quel autre tu voudras pour parler pour vous : et croy qu'il ne lui sera besoin lui commander : et que celui, à qui tu t'adresseras, sera plus aise de te faire plaisir en cet endroit, que toy de la requerir. Neanmoins s'il en est besoin, je le lui commanderay.

VENUS. — Encor que l'on ait semé par le monde que la maison d'Apolon et la mienne ne s'accordoient gueres bien : si le crois je de si bonne sorte qu'il ne me voudra esconduire en cette necessité, lui requerant son ayde à cestui mien extreme besoin : et montrera par l'issue de cette afaire, combien il y ha plus d'amitié entre nous que les hommes ne cuident.

APOLON. — Ne me prie point, Deesse de beauté : et ne fais dificulté que ne te veuille autant de bien, comme merite la plus belle des Deesses. Et outre le témoignage, qu'en pourroient rendre tes jardins, qui sont en Cypre et Ida, si bien par moy, entretenus, qu'il n'y ha rien plus plaisant au monde : encore connoitras tu par l'issue de cette querelle combien je te porte d'affection et me sens fort aise que, te retirant vers moy en cet afaire, tu declaires aus hommes comme faussement ils ont controuvé, que tu avois conjuré contre toute ma maison.

JUPITER. — Retirez vous donq un chacun, et revenez demain à semblable heure, et nous mettrons peine d'entendre et vuider vos querelles.

DISCOURS IV

Cupidon vient donner le bon jour à Jupiter.

JUPITER. — Que dis tu petit mignon ? Tant que ton diferent soit terminé, nous n'aurons plaisir de toy. Mais ou est ta mere ?

AMOUR. — Elle est allee vers Apolon, pour l'amener au consis-

167

toire des Dieus. Ce pendant elle m'a commandé venir vers toy te donner le bon jour.

JUPITER. — Je la plein bien pour l'ennui qu'elle porte de ta fortune. Mais je m'esbahi comme, ayant tant ofensé de hauts Dieus et grans signeur tu n'as jamais ù mal que par Folie!

AMOUR. — C'est pource que les Dieus et hommes, bien avisez, creignent que ne leur face pis. Mais Folie n'a pas la consideracion et jugement si bon.

JUPITER. — Pour le moins te devroient ils haïr, encore qu'ils ne t'osassent ofenser. Toutefois tous tant qu'ils sont t'ayment.

AMOUR. — Je serois bien ridicule, si ayant le pouvoir de faire les hommes estre aymer, ne me faisois aussi estre aymé.

JUPITER. — Si est il bien contre la nature, que ceus qui ont reçu tout mauvais traitement de toy, t'ayment autant comme ceus qui ont ù plusieurs faveurs.

AMOUR. — En ce se montre la grandeur d'Amour, quand on aime celui dont on est mal traité.

JUPITER. — Je say fort bien par expérience, qu'il n'est point en nous d'estre aymez : car, quelque grand degré ou je sois, si ay je esté bien peu aymé : et tout le bien qu'ay reçu, l'ay plus tot ù par force et finesse, que par amour.

AMOUR. — J'ay bien dit que je fais aymer encore ceus, qui ne sont point aymez : mais si est il en la puissance d'un chacun le plus souvent de se faire aymer. Mais peu se treuvent, qui facent en amour tel devoir qu'il est requis.

JUPITER. — Quel devoir?

AMOUR. — La première chose dont il faut s'enquerir, c'est, s'il y ha quelque Amour imprimee : et s'il n'y en ha, ou qu'elle ne soit encor enracinee, ou qu'elle soit desja toute usee, faut songneusement chercher quel est la naturel de la personne aymee : et, connoissant le notre, avec les commoditez, façons, et qualitez estre semblables, en user : si non, le changer. Les Dames que tu as aymees, vouloient estre louees, entretenues par un long tems, priees, adorees. Quell' Amour penses tu qu'elles t'ayent porté, te voyant en Foudre, en Satire, en diverses sortes d'Animaus, et converti en choses insensibles ? La richesse te fera jouir des Dames qui sont avares : mais aymer non. Car cette affeccion de gaigner ce qui est au cœur d'une personne, chasse la vraye et entiere Amour : qui ne cherche son proufit, mais celui de la persone, qu'il ayme. Les autres especes d'Animaus ne pouvoient te faire amiable. Il n'y ha animant courtois et gracieus que l'homme, lequel puisse se rendre suget aus complexions d'autrui, augmenter sa beauté et bonne grace par mile nouveaus artifices : plorer, rire, chanter, et passionner la personne qui le voit. La lubricité et ardeur de reins n'a rien de commun, ou bien peu, avec Amour. Et pource les femmes ou jamais n'aymeront, ou jamais ne feront semblant d'aymer pour ce respect. Ta magesté Royale encores ha elle moins de pouvoir en ceci : car Amour se plait de choses egales. Ce n'est qu'un joug, lequel faut qu'il soit porté par deus Taureaus semblables : autrement le harnois n'ira pas droit. Donq, quand tu voudras estre aymé, descends en bas, laisse ici ta couronne et ton sceptre, et ne dis qui tu es. Lors tu verras en bien servant et aymant quelque Dame, que sans qu'elle ait egard à richesse ne puissance, de bon gré t'aymera. Lors tu sentiras bien un autre contentement, que ceus que tu as uz par le passé : et au lieu d'un simple plaisir, en recevras un double. Car autant y ha il de plaisir à estre baisé et aymé, que de baiser et aymer.

JUPITER. — Tu dis beaucoup de raisons : mais il y faut un long tems, une sugeccion grande, et beaucoup de passions.

AMOUR. — Je say bien qu'un grand Signeur se fache de faire longuement la court, que ses afaires d'importance ne permettent pas qu'il s'y assugettise, et que les honneurs qu'il reçoit tous les jours, et autres passetems sans nombre, ne lui permettent croitre ses passions, de sorte qu'elles puissent mouvoir leurs

amies à pitié. Aussi ne doivent ils atendre les grands et faciles
contentemens qui sont en Amour, mais souventefois j'abaisse si
bien les grans, que je les fay à tous, exemple de mon pouvoir

JUPITER. — Il est tems d'aller au consistoire : nous deviserons
une autrefois plus à loisir.

DISCOURS V

APOLON. — Si onques te falut songneusement pourvoir à tes
afaires, souverein Jupiter, ou quand avec l'ayde de Briare tes
plus proches te vouloient mettre en leur puissance, ou quand les
Geans, fils de la Terre, mettans montaigne sur montaigne, déli-
beroient nous venir combatre jusques ici, ou quand le Ciel
et la Terre cuiderent bruler : à cette heure, que la licence des
fols est venue si grande, que d'outrager devant tes yeus l'un des
principaux de ton Empire, tu n'as moins d'ocasion d'avoir
creinte, et ne dois diferer à donner pront remede au mal ja commencé. S'il est permis à chacun atenter sur le lien qui entretient et lie tout ensemble : je voy en peu d'heure le Ciel en
desordre, je voy les uns changer leur cours, les autres entreprendre sur leurs voisins une consommacion universelle : ton
sceptre, ton trone, ta majesté en danger. Le sommaire de mon
oraison sera conserver ta grandeur en son integrité, en demandant
vengeance de ceus qui outragent Amour, la vraye ame de tout
l'Univers, duquel tu tiens ton sceptre. D'autant donq que ma
cause est tant favorable, conjointe avec la conservacion de ton
estat, et que neanmoins je ne demande que justice : d'autant plus me devras tu atentivement escouter. L'injure que je
meintien avoir esté faite à Cupidon, est telle : Il venoit au festin dernier, et voulant entrer par une porte, Folie acourt après
lui, et lui mettant la main sur l'espaule le tire en arriere, et

s'avance, et passe la premiere. Amour voulant savoir qui c'estoit, s'adresse à elle. Elle lui dit plus d'injures, qu'il n'apartient à une femme de bien à dire. De là elle commence se hausser en paroles, se magnifier, fait Amour petit. Lequel se voyant ainsi peu estimé, recourt à la puissance dont tu l'as toujours vù et permets user contre toute personne. Il la veut faire aymer : elle evite au coup; et feignant ne prendre en mal, ce que Cupidon lui avoit dit, recommence à deviser avec lui; et en parlant tout d'un coup lui leve les yeus de la teste. Ce fait, elle se vient à faire si grande sur lui, qu'elle lui fait entendre de ne lui estre possible le guerir, s'il ne reconnoissoit qu'il ne lui avoit porté l'honneur qu'elle meritoit. Que ne feroit on pour recouvrer la joyeuse vuë du Soleil ? Il dit, il fait tout ce qu'elle veut. Elle le bande, et pense ses plaies en atendant que meilleure ocasion vint de lui rendre la vuë. Mais la traytresse lui mit un tel bandeau, que jamais ne sera possible lui oter. Par ce moyen voulant se moquer de toute l'ayde que tu lui pourrois donner, ou encor que tu lui rendisses les yeus, qu'ils fussent neanmoins inutiles. Et pour le mieus acoutrer lui ha baillé de ses esles, à fin d'estre aussi bien guidé comme elle. Voilà deus injures grandes et atroces faites à Cupidon. On l'a blessé, et lui ha lon oté le pouvoir et moyen de guerir. La plaie se voit, le delit est manifeste : de l'auteur ne s'en faut enquerir. Celle qui ha fait le coup, le dit, le presche, en fait ses contes par tout. Interrogue la : plus tot l'auras confessé que ne l'auras demandé. Que reste il ? Quand il est dit : qui aura tiré une dent, lui en sera tiré une autre; qui aura arraché un œil, lui en sera semblablement crevé un, cela s'entend entre personnes egales. Mais quand on a ofensé ceus, desquels depend la conservacion de plusieurs, les peines s'aigrissent, les loix s'arment de severité, et vengent le tort fait au publiq. Si tout l'Univers ne tient que par certaines amoureuses composicions, si elles cessoient, l'ancien Abime reviendroit. Otant l'amour, tout est ruïné. C'est

171

donq celui, qu'il faut conserver en son estre : c'est celui, qui fait multiplier les hommes, vivre ensemble, et perpetuer le monde, par l'amour et solicitude qu'ils portent à leurs successeurs. Injurier cet Amour, l'outrager, qu'est ce, sinon vouloir troubler et ruïner toutes choses ? Trop mieux vaudroit que la temeraire se fust adressee à toi car tu t'en fusses bien donné garde. Mais s'estant adressee à Cupidon, elle t'a fait dommage irreparable, et auquel n'as ù puissance de donner ordre. Cette injure touche aussi en particulier tous les autres Dieus, Demidieus, Faunes, Satires, Silvains, Deesses, Nynfes, Hommes et Femmes : et crois qu'il n'y ha Animant, qui ne sente mal, voyant Cupidon blessé. Tu as donq osé, ô detestable, nous faire à tous despit, en outrageant ce que tu savois estre de tous aymé. Tu as ù le cœur si malin, de navrer celui qui apaise noises et querelles. Tu as osé atenter au fils de Venus : et ce en la court de Jupiter : et as fait qu'il y ha ù ça haut moins de franchise, qu'il n'y ha la bas entre hommes, es lieus qui nous sont consacrez. Par tes foudres ô Jupiter, tu abas les arbres, ou quelque povre femmelette gardant les brebis, ou quelque meschant garsonneau qui aura moins dinement parlé de ton nom : et cette ci, qui, mesprisant la majesté, a violé ton palais, vit encores! Et ou ? Au Ciel et est estimee immortelle, et retient nom de deesse. Les roues des Enfers soutiennent elles une ame plus detestable que cette cy ? Les montaignes de Sicile couvrent elles de plus execrables personnes. Et encores n'a elle honte de se présenter devant vos divinitez : et lui semble (si je l'ose dire) que serez tous si fols, que de l'absoudre. Je n'ay neanmoins charge par Amour de requerir vengeance et punicion de Folie. Les gibets, potences, roues, couteaux et foudres ne lui plaisent, encor que fust contre ses malveuillans, contre lesquels mesmes il ha si peu usé de son ire, que, oté quelque subit courrous de la jeunesse qui le suit, il ne se trouva jamais un seul d'eus qui ait voulu l'outrager, fors cette furieuse. Mais il laisse le tout à votre discrecion, ô Dieus : et ne demande autre chose, sinon que ses yeus lui soient rendus, et qu'il soit dit, que Folie ha ù tort de l'injurier et outrager. Et à ce que par ci après n'avienne tel desordre, en cas que ne veuillez ensevelir Folie sous quelque montaigne, ou la mettre à l'abandon de quelque aigle, ce qu'il ne requiert, vous veuillez ordonner que Folie ne se trouvera près du lieu ou Amour sera, de cent pas à la ronde. Ce que trouverez devoir estre fait, après qu'aurez entendu de quel grand bien sera cause Amour, quand il aura gaigné ce point : et de combien de maus il sera cause, estant si mal acompagné, mesmes à present qu'il a perdu les yeus. Vous ne trouverez point mauvais que je touche en brief en quel honneur et reputacion est Amour entre les hommes, et qu'au demeurant de mon oraison je ne parle guere plus que d'eus. Donques les hommes sont faits à l'image et semblance de nous, quant aus esprits : leurs corps sont composez de plusieurs et diverses complexions : et entre eus si diferens tant en figure, couleur et forme, que jamais en tant de siecles qui ont passé, ne s'en trouva que deus ou trois pers, qui se ressemblassent : encore leurs serviteurs et domestiques les connoissoient particulièrement l'un avec l'autre. Estans ainsi en meurs, complexions, et forme dissemblables, sont neanmoins ensemble liez et assemblez par une benivolence, qui les fait vouloir bien l'un à l'autre : et ceus qui en ce sont les plus excellens, sont les plus reverez entre eus. Delà est venue la premiere gloire entre les hommes. Car ceux qui avoient inventé quelque chose à leur proufit, estoient estimez plus que les autres. Mais faut penser que cette envie de proufiter en publiq, n'est procedee de gloire, comme estant la gloire postérieure en tems. Quelle peine croyez-vous, qu'a ù Orphee pour destourner les hommes barbares de leur acoutumee cruauté ? Pour les faire assembler en compagnies politiques ? Pour leur mettre en horreur de piller et robber l'autrui ? Estimez vous que ce fust pour gain ? duquel ne se parloit encores entre les hommes, qui n'avoient fouillé es entrailles de la terre ? La gloire, comme j'ay dit, ne le pouvoit mouvoir. Car n'estans point encore de gens politiquement vertueus, il n'y pouvoit este gloire, ny envie de gloire. L'amour qu'il portoit en general aus hommes, le faisoit travailler à les conduire à meilleure vie. C'estoit la douceur de sa Musique, que l'on dit avoir adouci les Loups, Tigres, Lions : attiré les arbres, et amolli les pierres : et quelle pierre ne s'amolliroit entendant le dous preschement de celui qui amiablement la veut atendrir pour recevoir l'impression de bien et honneur ? Combien estimez vous que Promethee soit loué là bas pour l'usage du feu, qu'il inventa ? Il le vous desroba, et encourut votre indinacion. Estoit ce qu'il vous voulust ofenser ? Je croy que non : mais l'amour, qu'il portoit à l'homme, que tu lui baillas, ô Jupiter, commission de faire de terre, et l'assembler de toutes pieces ramassees des autres animaus. Cet amour que lon porte en general à son semblable, est en telle recommandacion entre les hommes, que le plus souvent se trouvent entre eus qui pour sauver un païs, leur parent, et garder l'honneur de leur Prince. s'enfermeront dedens lieus peu defensables, bourgades, colombiers; et quelque asseurance qu'ils ayent de la mort, n'en veulent sortir à quelque composicion que ce soit, pour prolonger la vie à ceus que l'on ne peut assaillir que après leur ruïne. Outre cette afeccion generale, les hommes en ont quelque particilière l'un envers l'autre, et laquelle, moyennant qu'elle n'ait point le but de gain, ou de plaisir de soymesme, n'ayant respect à celui, que lon se dit aymer, est en tel estime au monde, que lon ha remarqué songneusement par tous les siecles ceus, qui se sont trouvez excellens en icelle, les ornant des plus honorables titres que les hommes peuvent inventer. Mesmes ont estimé cette seule vertu estre suffisante pour d'un homme faire un Dieu. Ainsi les Scythes deïfierent Pylade et Oreste, et leur dresserent temples et autels, les apelans les Dieus d'amitié. Mais

174

avant iceus estoit Amour, qui les avoit liez et uniz ensemble.
Raconter l'opinion qu'ont les hommes des parens d'Amour ne
seroit hors de propos, pour montrer qu'ils l'estiment autant ou
plus, que nul autre des Dieus. Mais en ce ne sont d'un acord, les
uns le faisant sortir de Chaos et de la Terre; les autres du Ciel
et de la Nuit : aucuns de Discorde et de Zephire : autres de
Venus la vraye mere, l'honorant par ces anciens peres et meres,
et par les effets merveilleus que de tout tems il ha accoutumé
montrer. Mais il me semble que les Grecs d'un seul surnom
qu'ils t'ont donné, Jupiter, t'apelant amiable, témoignant assez
que plus ne pouvoient exaucer Amour, qu'en te faisant partici-
pant de sa nature. Tel est l'honneur que les plus savants et les
plus renommez des hommes donnent à Amour. Le commun
populaire le prise aussi, et estime pour les grandes experiences
qu'il voit des commoditez qui proviennent de lui. Celui qui
voit que l'homme (quelque vertueus qu'il soit) languit en sa
maison, sans l'amiable compagnie d'une femme, qui fidelement
lui dispense son bien, lui augmente son plaisir, ou le tient en
bride doucement, de peur qu'il n'en prenne trop pour sa santé
lui ote les facheries, et quelquefois les empesche de venir,
l'apaise, l'adoucit, le traite sain et malade, le fait avoir deus
corps, quatre bras, deus ames, et plus parfait que les premiers
hommes du banquet de Platon, ne confessera il que l'amour
conjugale est dine de recommandacion ? et n'attribuera cette
felicité au mariage mais à l'amour qui l'entretient. Lequel, s'il
defaut en cet endroit, vous verrez l'homme forcené, fuir et
abandonner sa maison. La femme au contraire ne rit jamais,
quand elle n'est en amour avec son mari. Ilz ne sont jamais en
repos. Quand l'un veut reposer, l'autre crie. Le bien se dis-
sipe, et vont toutes choses au rebours. Et est preuve certeine
que la seule amitié fait avoir en mariage le contentement que
lon dit s'y trouver. Qui ne dira bien de l'amour fraternelle.
ayant veu Castor et Pollux. l'un mortel estre fait immortel à

moitié du don de son frere ? Ce n'est pas estre frere, qui cause cet heur (car peu de freres sont de telle sorte) mais l'amour grande qui estoit entre eus. Il seroit long à discourir, comme Jonathas sauva la vie à David : dire l'histoire de Pythias et Damon : de celui qui quitta son espouse à son ami la premiere nuit, et s'en fuit vagabond par le monde. Mais pour montrer quel bien vient d'amitié, j'allegueray le dire d'un grand Roy, lequel ouvrant une grenade, interrogé de quelles choses il voudroit avoir autant, comme il y avoit de grains dans la pomme, respondit : de Zopires. C'estoit ce Zopire, par le moyen duquel il avoit retrouvé Babilone. Un Scythe demandant en mariage une fille, et sommé de bailler son bien par declaracion, dit : qu'il n'avoit autre bien que deux amis, s'estimant assez riche avec telle possession pour oser demander la fille d'un grand Signeur en mariage. Et pour venir aus femmes, ne sauva Ariadne la vie à Thesee ? Hypermnestre à Lyncee ? Ne se sont trouvees des armees en danger en païs estranges, et sauvees par l'amitié que quelques Dames portoient aus Capiteines ? Des Roiz remiz en leurs principales citez par les intelligences, que leurs amies leur avoient pratiquees secretement ? Tant y ha de povres soudars, qui ont esté eslevez par leurs amies es Contez, Duchez, Royaumes qu'elles possedoient. Certeinement tant de commoditez provenans aus hommes par Amour ont bien aydé à l'estimer grand. Mais plus que toute chose, l'afeccion naturelle, que tous avons à aymer, nous le fait eslever et exalter. Car nous voulons faire paroitre, et estre estimé ce à quoy nous nous sentons enclins. Et qui est celui des hommes, qui ne prenne plaisir, ou d'aymer, ou d'estre aymé ? Je laisse ces Mysanthropes, et Taupes cachees sous terre, et enseveliz de leurs bizarries, lesquels auront de par moy tout loisir de n'estre point aymez, puis qu'il ne leur chaut d'aymer. S'il m'estoit licite, je les vous depeindrois, comme je les voy descrire aus hommes de bon esprit. Et neanmoins il vaut mieus en dire un mot, à fin le connoitre combien est mal plaisante et miserable la vie de ceux, qui se sont exemptez d'Amour. Ils dient que ce sont gens mornes, sans esprit, qui n'ont grace aucune à parler, une voix rude, un aller pensif, un visage de mauvaise rencontre, un œil baissé; creintifs, avares, impitoyables, ignorans, n'estimans personne : Loups garous. Quand ils entrent en leur maison, ils creignent que quelcun les regarde. Incontinant qu'ils nt entrez, barrent leur porte, serrent les fenestres, mengent sallement sans compagnie, la maison mal en ordre : se couchent en chapon le morceau au bec. Et lors à beau gros bonnets gras de deus droits d'espais, la camisole atachee avec esplingues enrouillees jusques au dessous du nombril, grandes chausses de laine venant à mycuisse, un oreiller chaufé et sentant sa gresse fondue : le dormir acompagné de toux, et autres tels excremens dont ils remplissent les courtines. Un lever pesant, s'il n'y a quelque argent à recevoir : vieilles chausses rapetassees : souliers de païsant : pourpoint de drap fourré long saye mal ataché devant : la robbe qui pend par derriere jusques aus espaules : plus de fourrures et pelisses : calottes et larges bonnets couvrans les cheveux mal pignez : gens plus fades à voir, qu'un potage sans sel à humer. Que vous en semble il ? Si tous les hommes estoient de cette sorte, y auroit il pas peu de plaisir à vivre avec eus ? Combien plus tot choisiriez vous un homme propre, bien en point, et bien parlant, tel qu'il ne s'est pù faire sans avoir envie de plaire à quelcun ? Qui ha inventé un dous et gracieus langage entre les hommes ? et ou premierement ha l esté employé ? ha ce esté à persuader de faire guerre au païs ? eslire un Capiteine ? acuser ou defendre quelcun ? Avant que les guerres se fissent, paix, alliances et confederacions en publiq : avant qu'il fust besoin de Capiteines, avant les premiers jugemens que fites faire en Athenes, il y avoit quelque maniere plus douce et gracieuse, que le commun : de laquelle userent Orphee, Amphion, et autres. Et ou en firent preuve les hommes, sinon

177

en Amour ? Par pitié on baille à manger à une creature, encore qu'elle n'en demande. On pense à un malade, encore qu'il ne veuille guerir. Mais qu'une femme ou homme d'esprit, prenne plaisir à l'afeccion d'une personne, qui ne la peut descouvrir, lui donne ce qu'il ne peut demander, escoute un rustique et barbare langage : et tout tel qu'il est, sentant plus son commandement, qu'amoureuse priere, cela ne se peut imaginer. Celle qui se sent aymee, ha quelque autorité sur celui qui l'ayme : car elle voit en son pouvoir, ce que l'Amant poursuit, comme estant quelque grand bien et fort desirable. Cette aurorité veut estre reveree en gestes, faits, contenances, et paroles. Et dece vient que les Amans choisissent les façons de faire, par lesquelles les personnes aymées auront plus d'ocasion de croire l'estime et reputacion que lon ha d'elles. On se compose les yeux à douceur et pitié, on adoucit le front, on amollit le langage, encore que de son naturel l'Amant ust le regard horrible, le front despité, et langage sôt et rude : car il ha incessamment au cœur l'object de l'amour, qui lui cause un desir d'estre dine d'en recevoir faveur, laquelle il scet bien ne pouvoir avoir sans changer son naturel. Ainsi entre hommes Amour cause une connoissance de soymesme. Celui qui ne tache à complaire à personne, quelque perfeccion qu'il ait, n'en ha non plus de plaisir, que celui qui porte une fleur dedens sa manche. Mais celui qui desire plaire, incessamment pense à son fait : mire et remire sa chose aymee : suit les vertus, qu'il voit lui estre agreables, et s'adonne aus complexions contraires à soymesme, comme celui qui porte le bouquet en main, donne certein jugement de quelle fleur vient l'odeur et senteur qui plus lui est agreable. Apres que l'Amant ha composé son corps et complexion à contenter l'esprit de l'aymee, il donne ordre que tout ce qu'elle verra sur lui, ou lui donnera plaisir, ou pour le moins elle n'y trouvera à se facher. De là ha ù source la plaisante invencion des habits nouveaus. Car on ne veut jamais venir à ennui et lasseté, qui provient de voir tousjours une mesme chose. L'homme a toujours mesme corps, mesme teste, mesme bras, jambes, et piez; mais il les diversifie de tant de sortes, qu'il semble tous les jours estre renouvelé. Chemises parfumees de mile et mile sortes d'ouvrages : bonnet à la saison, pourpoint, chausses jointes et serres, montrans les mouvemens du corps bien disposé : mile façons de bottines, brodequins, escarpins, souliers, sayons, casaquins, robbes, robbons, cappes, manteaus : le tout en si bon ordre, que rien ne passe. Et que dirons nous des femmes, l'abit desquelles, et l'ornement de corps, dont elles usent, est fait pour plaire, si jamais rien fut fait. Est-il possible de mieus parer une teste, que les Dames font et feront à jamais ? avoir cheveus mieus dorez, crespes, frisez ? acoutrement de teste mieus seant, quand elles s'acoutreront à l'Espagnole, à la Française, à l'Allemande, à l'Italienne, à la Grecque ? Quelle diligence mettent elles au demeurant de la face ? Laquelle, si elle est belle, elles contregardent tant bien contre les pluies, vents, chaleurs, tems et vieillesse, qu'elles demeurent presque tousjours jeunes. Et si elle ne leur est du tout telle, qu'elles la pourroient desirer, par honneste soin la se procurent : et l'ayant moyennement agreable, sans plus grande curiosité, seulement avec vertueuse industrie la continuent, selon la mode de chacune nacion, contree, et coutume. Et avec tout celà, l'habit propre comme la feuille autour du fruit. Et s'il y ha perfeccion du corps ou lineament qui puisse, ou doive estre vù et montré, bien peu le cache l'agencement du vétement : ou, s'il est caché, il l'est en sorte, que l'on le cuide plus beau et delicat. Le sein aparoit de tant plus beau, qu'il semble qu'elles ne le veuillent estre vù : les mamelles en leur rondeur relevees font donner un peu d'air au large estomac. Au reste, la robbe bien jointe, le corps estreci ou il faut : les manches serrees, si le bras est massif : si non, larges et bien enrichies : la chausse tiree : l'escarpin façonnant le petit pié (car le plus souvent l'amoureuse curiosité des hommes fait rechercher la beauté jusques au bout des piez :) tant de pommes d'or, chaines, bagues, ceintures, pendans, gans parfumez, manchons : et en somme tout ce qui est de beau, soit à l'acoutrement des hommes ou des femmes, Amour en est l'auteur. Et s'il ha si bien travaillé pour contenter les yeus, il n'a moins fait aus autres sentimens : mais les ha tous emmiellez de nouvelle et propre douceur. Les fleurs que tu fiz, ô Jupiter, naitre es moi de l'an les plus chaus, sont entre les hommes faites hybernalles : les arbres, plantes, herbages, qu'avois distribuez en divers païs, sont par l'estude de ceus qui veulent plaire à leurs amies, rassemblez en un verger : et quelquefois suis contreint, pour ayder à leur afeccion, leur departir plus de chaleur que le païs ne le requerroit. Et tout le proufit de ce, n'est que se ramentevoir par ces petis presens en la bonne grace de ces amis et amies. Diray je que la Musique n'a esté inventee que par Amour ? et est le chant et harmonie l'effect et signe de l'Amour parfait. Les hommes en usent ou pour adoucir leur desirs enflammez ou pour donner plaisir: pour lequel diversifier tous les jours ils inventent nouveaus et divers instruments de Luts, Lyres, Citres, Doucines, Violons, Espinettes, Flutes, Cornets; chantent tous les jours diverses chansons : et viendront à inventer madrigalles, sonnets, pavanes, passemeses, gaillardes, et tout en commemoracion d'Amour : comme celui, pour lequel les hommes font plus que pour nul autre. C'est pour lui que lon fait des serenades, aubades, tournois, combats tant à pié qu'à cheval. En toutes lesquelles entreprises ne se treuvent que jeunes gens amoureus : ou s'ils s'en treuvent autres melez parmi, ceus qui ayment emportent tousjours le pris, et en remerciant les Dames, desquelles ils ont porté les faveurs. Là aussi se raporteront les Comedies, Tragedies, Jeus, Montres, Masques, Moresques. Dequoy allege un voyageur son travail, que lui cause le long chemin, qu'en chantant quelque chanson d'Amour, ou escoutant de son compagnon quelque conte et fortune amoureuse ? L'un loue le bon traitement de s'amie : l'autre se pleint de la cruauté de la sienne. Et mile accidens, qui interviennent en amours : lettres descouvertes, mauvais raports, quelque voisine jalouse, quelque mari qui revient plus tot que lon ne voudroit : quelquefois s'apercevant de ce qui se fait : quelquefois n'en croyant rien, se fiant sur la preudhommie de sa femme : et à fois eschaper un souspir avec un changement de parler : puis force excuses. Brief, le plus grand plaisir qui soit apres amour, c'est d'en parler. Ainsi passoit son chemin Apulee, quelque Filozofe qu'il fust. Ainsi prennent les plus severes hommes plaisir d'ouïr parler de ces propos, encores qu'ils ne le veuillent confesser. Mais qui fait tant de Poëtes au monde en toutes langues, n'est ce pas Amour ? lequel semble estre le suget, duquel tous Poëtes veulent parler. Et qui me fait atribuer la poësie à Amour : ou dire, pour le moins, qu'elle est bien aydee et entretenue par son moyen ? c'est qu'incontinent que les hommes commencent d'aymer, ils escrivent vers. Et ceux qui ont été excellens Poëtes, ou en ont rempli leurs livres, ou, quelque autre suget qu'ils ayent pris, n'ont osé toutefois achever leur euvre sans en faire honorable mencion. Orphee, Musee, Homere, Line, Alcee, Saphon, et autres Poëtes et Filozofes : comme Platon, et celui qui ha ù le nom de Sage, ha descrit ses plus hautes concepcions en forme d'amourettes. Et plusieurs autres escriveins voulans descrire autres invencions, les ont cachees sous semblables propos. C'est Cupidon qui a gaigné ce point, qu'il faut que chacun chante ou ses passions, ou celles d'autrui, ou couvre ses discours d'Amour, sachant qu'il n'y ha rien, qui le puisse faire estre mieus reçu. Ovide ha tousjours dit qu'il aymoit. Petrarque en son langage ha fait seule afeccion aprocher à la gloire de celui qui ha representé toutes les passions, coutumes, façons et natures de tous les hommes, qui est Homere. Qu'a jamais mieus

181

chanté Virgile que les amours de la Dame de Carthage ? ce
lieu seroit long, qui voudroit le traiter comme il meriteroit.
Mais il me semble qu'il ne se peut nier, que l'Amour ne soit
cause aus hommes de gloire, honneur, proufit, plaisir : et
tel, que sans lui ne se peut commodément vivre. Pource est il
estimé entre les humains, l'honorans et aymans, comme celui
qui leur ha procuré tout bien et plaisir. Ce qui lui ha esté
bien aisé, tant qu'il ha û ses yeus. Mais aujourd'hui, qu'il en
est privé, si Folie se mesle de ses affaires, il est à creindre, et
quasi inevitable, qu'il ne soit cause d'autant de vilenie, incom-
modité, et desplaisir, comme il ha esté par le passé d'honneur,
proufit, et volupté. Les grans qu'Amour contreingnoit aymer
les petis et les sugetz qui estoient sous eus, changeront en sorte
qu'ils n'aymeront plus que ceus dont ils penseront tirer service. Les petis, qui aymoient leurs Princes et Signeurs, les
aymeront seulement pour faire leurs besongnes, en esperance
de se retirer quand ils seront pleins. Car ou Amour voudra faire
cette harmonie entre les hautes et basses personnes, Folie se
trouvera pres, qui l'empeschera : et encore es lieus ou il se sera
ataché. Quelque bon et innocent qu'il soit, Folie lui meslera
de son naturel tellement que ceus qui aymeront, feront tousjours quelque tour de fol. Et plus les amitiez seront estroites,
plus s'y trouvera il de desordre quand Folie s'y mettra. Il
retournera plus d'une Semiramis, plus d'une Biblis, d'une
Mirrha, d'une Canace, d'une Phedra. Il n'y aura lieu saint au
monde. Les hauts murs et treillis garderont mal les Vestales.
La vieillesse tournera son venerable et paternel amour, en fols
et juveniles desirs. Honte se perdra du tout. Il n'y aura discrecion entre noble, païsant, infidele, ou More, Dame, maîtresse,
servante. Les parties seront si inegales, que les belles ne rencon-
treront les beaus, ains seront conjointes le plus souvent avec
leurs dissemblables. Grands Dames aymeront quelquefois ceus
don ne daigneroient estre servies. Les gens d'esprit s'abuseront

182

autour des plus laides. Et quand les povres et loyaus amans auront langui de l'amour de quelque belle : lors Folie fera jouir quelque avolé en moins d'une heure du bien ou l'autre n'aura pù ateindre. Je laisse les noises et querelles, qu'elle dressera par tout, dont s'en ensuivra blessures, outrages, et meurtres. Et ay belle peur, qu'au lieu ou Amour ha inventé tant de sciences, et produit tant de bien, qu'elle n'ameine avec soy quelque grande oisiveté acompagnee d'ignorance : qu'elle n'empesche les jeunes gens de suivre les armes et de faire service à leur Prince : ou de vaquer à estudes honorables : qu'elles ne leur mesle leur amour de paroles detestables, chansons trop vileines, ivrongnerie et gourmandise : qu'elle ne leur suscite mile maladies, et mette en infiniz dangers de leurs personnes. Car il n'y ha point de plus dangereuse compagnie que de Folie. Voilà les maus qui sont à creindre, si Folie se trouve autour d'amour. Et s'il avenoit que cette meschante le voulust empescher ça haut, que Venus ne voulust plus rendre un dous aspect avec nous autres, que Mercure ne voulust plus entretenir nos alliances, qelle confusion y auroit-il ? Mais j'ay promis ne parler que de ce qui se fait en terre. Or donq, Jupiter, qui t'apeles pere des hommes, qui leur es auteur de tout bien, leur donnes la pluie quand elle est requise, seiches l'humidité superabondante : considere ces maus qui sont preparez aus hommes, si Folie n'est separee d'Amour. Laisse Amour se resjouir en paix entre les hommes : qu'il soit loisible à un chacun de converser privément et domestiquement les personnes qu'il aymera, sans que personne en ait creinte ou soupson; que les nuits ne chassent, sous pretexte des mauvaises langues, l'ami de la maison de s'amie : que lon puisse mener la femme de son ami, voisin, parent, ou bon semblera, en telle seurté que l'honneur de l'un ou l'autre n'en soit en rien ofensé. Et à ce que personne n'ait plus mal en teste, quand il verra telles privautez, fais publier par toute la Terre, non à son de trompe ou

183

par ataches mises aus portes des temples, mais en metant au cœur de tous ceus qui regarderont les Amans, qu'il n'est possible qu'ils vousissent faire ou penser quelque Folie. Ainsi auras tu mis bel ordre au fait avenu, que les hommes auront ocasion de te louer et magnifier plus que jamais, et feras beaucoup pour toy et pour nous. Car tu nous auras delivrez d'une infinité de pleintes, qui autrement nous seront faites par les hommes, des esclandres que Folie amoureuse fera au monde. Ou bien si tu aymes mieus remettre les choses en l'estat qu'elles estoient, contreins les Parques et Destinees (si tu y as quelque pouvoir) de retourner leurs fuseaus, et faire en sorte qu'à ton commandement, et à ma priere, et pour l'amour de Venus, que tu as jusques ici tant cherie et aymee, et pour les plaisirs et contentemens que tous tant que nous sommes, avons reçuz et recevons d'Amour, elles ordonnent, que les yeus seront rendus à Cupidon, et la bande otee : à ce que le puissions voir encore un coup en son bel et naïf estre, piteus de tous les cotez dont on le sauroit regarder, et riant d'un seulement. O Parques, ne soyez à ce coup inexorables que lon ne die que vos fuseaus ont esté ministres de la cruelle vengeance de Folie. Ceci n'empeschera point la suite des choses à venir. Jupiter composera tous ces trois jours en un, comme il fit les trois nuits, qu'il fut avec Alcmene. Je vous appelle, vous autres Dieus, et vous Deesses, qui tant avez porté et portez d'honneur à Venus. Voici l'endroit ou lui pouvez rendre les faveurs que d'elle avez reçues. Mais de qui plus dois je esperer, que de toy, Jupiter ? Laisseras tu plorer en vain la plus belle des Deesses ? N'auras-tu pitié de l'angoisse qu'endure ce povre enfant dine de meilleure fortune ? Aurons nous perdu nos veuz et prieres ? Si celles des hommes te peuvent forcer, et t'ont fait (plusieurs fois) tomber des mains, sans mal faire, la foudre que tu avois contre eus preparee : quel pouvoir auront les notres, ausquels as communiqué ta puissance et autorité. Et te prians pour personnes, pour

184

lesquelles toymesme (si tu ne tenois le lieu de commander) prierois volontiers : et en faveur desquelles (si je puis savoir quelque secret des choses futures) feras, possible, après certeines revolucions, plus que ne demanďons, assugetissant à perpetuité Folie è Amour, et le faisant plus cler voyant que nul autre des Dieus. J'ay dit.

> *Incontinent qu'Apolon ut fini son acusacion, toute la compagnie des Dieus par un fremissement, se montra avoir compassion de la belle Deesse là presente, et de Cupidon son fils. Et ussent volontiers tout sur l'heure condamné la Deesse Folie : Quand l'equitable Jupiter par une magesté Impériale leur commanda silence, pour ouir la défense de Folie enchargee à Mercure, lequel commença à parler ainsi :*

MERCURE. — N'atendez point, Jupiter, et vous autres Dieus immortels, que je commence mon oraison par excuses (comme quelquefois font les Orateurs, qui creingnent estre blamez, quand ils soutiennent des causes apertement mauvaises) de ce qu'ay pris en main la defense de Folie, et mesmes contre Cupidon, auquel ay en plusieurs endrois porté tant d'obéïssance, qu'il auroit raison de m'estimer tout sien : et ay tant aymé la mere, que n'ay jamais espargné mes allees et venues, tant qu'ay pensé lui faire quelque chose agreable. La cause, que je defends, est si juste, que ceus mesme qui ont parlé au contraire, apres m'avoir ouy, changeront d'opinion. L'issue du diferent, comme j'espere, sera telle, que mesme Amour quelque jour me remerciera de ce service que contre lui je fay à Folie. Cette question est entre deus amis, qui ne sont pas si outrez l'un envers l'autre, que quelque matin ne se puissent reconcilier, et prendre

185

plaisir l'un de l'autre, comme au paravant. Si à l'apetit de l'un, vous chassez l'autre, quand ce desir de vengeance sera passé (laquelle incontinent qu'elle est, achevee commence à desplaire) : si vous ordonnez quelque cas contre Folie, Amour en aura le premier regret. Et n'estoit cette ancienne amitié et aliance de ces deus, meintenant aversaires, qui les faisoit si uniz et conjoins, que jamais n'avez fait faveur à l'un, que l'autre ne s'en soit senti : je me défierois bien que pussiez donner bon ordre sur ce diferent, avant tous suivi Amours fors Pallas : laquelle estant ennemie capitale de Folie, ne seroit raison qu'elle voulust juger sa cause. Et toutefois n'est Folie si inconnue ceans, qu'elle ne se ressente d'avoir souventefois esté la bien venue, vous aportant toujours avec sa troupe quelque cas de nouveau pour rendre vos banquets et festins plus plaisants. Et pense que tous ceus de vous, qui ont aymé, ont aussi bonne souvenance d'elle, que de Cupidon mesme. Davantage elle vous croit tous si equitables et raisonnables, qu'encore que ce fait fust le votre propre, si n'en feriez vous que la raison. J'ay trois choses à faire. Defendre la teste de Folie, contre laquelle Amour ha juré : respondre aus acusacions que j'entens estre faites à Folie : et à la demande qu'il fait de ses yeus. Apolon qui ha si long tems ouy les causeurs à Romme, ha bien retenu d'eus à conter tousjours à son avantage. Mais Folie, comme elle est tousjours ouverte, ne veut point que j'en dissimule rien : et ne vous en veut dire qu'un mot sans art, sans fard et ornement quelconque. Et, à la pure verité, Folie se jouant avec Amour ha passé devant lui pour gaigner le devant, et pour venir plus tot vous donner plaisir. Amour est entré en colere. Lui et elle se sont pris de paroles. Amour l'a taché navrer de ses armes qu'il portoit. Folie s'est defendue des siennes, dont elle ne s'estoit chargee pour blesser personne, mais pource que ordinairement elle les porte. Car, comme vous savez, ainsi qu'Amour tire au cœur, Folie aussi se gette aus yeus et à la teste, et n'a autres armes que ses doits. Amour ha voulu montrer qu'il avoit puissance sur le cœur d'elle. Elle lui ha fait connoitre qu'elle avoit puissance de lui oter les yeus. Il ne se pleignoit que de la deformité de son visage. Elle esmue de pitié la lui ha couvert d'une bande à ce que l'on n'apercust deux trous vuides d'iceus, enlaidissans sa face. On dit que Folie ha fait double injure à Amour : premierement, de lui avoir crevé les yeus : secondement, de lui avoir mis ce bandeau. On exaggere le crime fait à une personne aymee d'une personne, dont plusieurs ont afaire. Il faut respondre à ces deux injures. Quant à la premiere, Je dy : que les loix et raisons humaines ont permis à tous se defendre contre ceus qui les voudroient ofenser, tellement que ce, que chacun fait en se defendant, est estimé bien et justement fait. Amour ha esté l'agresseur. Car combien que Folie ait premièrement parlé à Amour, ce n'estoit toutefois pour quereler, mais pour s'esbatre, et se jouer à lui. Folie s'est défendue. Duquel coté est le tort ? Quand elle lui ust pis fait, je ne voy point comment on lui en ust pù rien demander. Et si ne voulez croire qu'Amour ait esté l'agresseur, interroguez le Vous verrez qu'il reconnoitra verité. Et n'est chose incroyable en son endroit de commencer tels brouilliz. Ce n'est d'aujourd'hui, qu'il ha esté si insuportable, quand bon lui ha semblé. Ne s'ataqua il pas à Mars, qui regardoit Vulcan forgeant des armes, et tout soudein le blessa ? Et n'y ha celui de cette compagnie, qui n'ait esté quelquefois las d'ouir ces bravades. Folie rit tousjours, ne pense si avant aus choses, ne marche si avant pour estre la premiere, mais pource qu'elle est plus pronte et hative. Je ne say que sert d'alleguer la coutume toleree à Cupidon de tirer de son arc ou bon lui semble. Car quelle loy ha il plus de tirer à Folie, que Folie n'a de s'adresser à Amour ? Il ne lui ha fait mal : neanmoins il s'en est mis en son plein devoir. Quel mal ha fait Folie rengeant Amour, en sorte qu'il ne peut plus nuire, si ce n'est d'aven-

ture ? Que se treuve il en eus de capital ? y ha il quelque guet
à pens, ports d'armes, congregacions illicites, ou autres choses
qui puissent tourner au desordre de la Republique ? C'estoit
Folie et un enfant, auquel ne falloit avoir egard. Je ne say comment te prendre en cet endroit, Apolon. S'il est si ancien, il
doit avoir apris à estre plus modeste, qu'il n'est : et s'il est
jeune, aussi est Folie jeune, et fille de Jeunesse. A cette cause,
celui qui est blessé, en doit demeurer là. Et dorenavant que personne ne se prenne à Folie. Car elle ha, quand bon lui semblera,
deqoy venger ses injures : et n'est de si petit lieu qu'elle doive
soufrir les jeunesses de Cupidon. Quant à la seconde injure,
que Folie lui ha mis un bandeau, ceci est pure calomnie. Car en
lui bandant le dessous du front, Folie jamais ne pensa lui agran-
dir son mal, ou lui oter le remede de guerir. Et quel meilleur
témoignage faut il, que de Cupidon mesme ? Il ha trouvé bon
d'estre bandé : il ha connu qu'il avoit esté agresseur, et que
l'injure provenoit de lui : il ha reçu cette faveur de Folie. Mais
il ne savoit pas qu'il fust de tel pouvoir. Et quand il ust sù;
que lui ust nuy de le prendre ? Il ne lui devoit jamais estre
oté : par consequent donq ne lui devoient estre ses yeus rendus.
Si ses yeus ne lui devoient estre rendus, que lui nuit le bandeau ? Que bien tu te montres ingrat à ce coup, fils de Venus,
quand tu calomnies le bon vouloir que t'ay porté, et interpre-
tes à mal ce que je t'ay fait pour bien. Pour agraver le fait, on
dit que c'estoit en lieu de franchise. Aussi estoit ce en lieu de
franchise, qu'Amour avoit assailli. Les autels et temples ne sont
inventez à ce qu'il soit loisible aus meschans d'y tuer les bons,
mais pour sauver les infortunez de la fureur du peuple, ou du
courrous d'un Prince. Mais celui qui pollue la franchise, n'en
doit il perdre le fruit ? S'il ust bien succedé à Amour, comme
il vouloit, et ust blessé, cette Dame, je croy qu'il n'ust pas
voulu que lon lui ust imputé ceci. Le semblable faut qu'il
treuve bon en autrui. Folie m'a defendu que ne la fisse mise-

rable, que ne vous suppliasse pour lui pardonner, si faute y avoit : m'a defendu le plorer, n'embrasser vos genous, vous adjurer par les gracieus yeus, que quelquefois avez trouvez agreables venans d'elle, ny amener ses parents, enfans, amis, pour vous esmouvoir à pitié. Elle vous demande ce que ne lui pouvez refuser, qu'il soit dit : qu'Amour par sa faute mesme est devenu aveugle. Le second point qu'Apolon ha touché, c'est qu'il veut estre faites defenses à Folie de n'aprocher dorenavant Amour de cent pas à la ronde. Et ha fondé sa raison sur ce, qu'estant en honneur et reputacion entre les hommes, leur causant beaucoup de bien et plaisirs, si Folie y estoit meslee, tout tourneroit au contraire. Mon intencion sera de montrer qu'en tout cela Folie n'est rien inferieure à Amour et qu'Amour ne seroit rien sans elle : et ne peut estre, et regner sans son ayde. Et pource qu'Amour ha commencé à montrer sa grandeur par son ancienneté, je feray le semblable : et vous prieray reduire en memoire comme incontinent que l'homme fut mis sur terre, il commença sa vie par Folie : et depuis ses successeurs ont si bien continué, que jamais Dame n'ut tant bon credit au monde. Vray est qu'au commencement les hommes ne faisoient point de hautes folies, et aussi n'avoient ils encores aucuns exemples devant eus. Mais leur folie estoit à courir l'un apres l'autre : à monter sus un arbre pour voir de plus loin : rouler en la vallee : à menger tout leur fruit en un coup : tellement que l'hiver n'avoient que menger. Petit à petit ha cru Folie avec le tems. Les plus esventez d'entre eus, ou pour avoir rescous des loups et autres bestes sauvages, les brebis de leurs voisins et compagnons, ou pour avoir defendu quelcun d'estre outragé, ou pource qu'ils se sentoient ou plus forts, ou plus beaus, se sont fait couronner Rois de quelque feuillage de Chesne. Et croissant l'ambicion non des Rois qui gardoient fort bien en ce tems les Moutons, Bœufs, Truies et Asnesses, mais de quelques mauvais garnimens qui les suivoient, leur vivre ha esté separé du commun. Il ha fallu que les viandes fussent plus delicates, l'habillement plus magnifique. Si les autres usoient de laiton, ils ont cherché un metal plus precieus, qui est l'or. Ou l'or estoit commun, ils l'ont enrichi de Perles, Rubis, Diamans, et de toutes sortes de pierreries. Et, ou est la plus grand'Folie, si le commun ha ù une loy, les grans en ont pris d'autres pour eus. Ce qu'ils ont estimé n'estre licite aus autres, se le sont pensé estre permis. Folie ha premierement mis en teste à quelcun de se faire creindre : Folie ha fait les autres obeïr. Folie ha inventé toute l'excellence, magnificence et grandeur, qui depuis à cette cause s'en est ensuivie. Et neanmoins qu'y ha il plus venerable entre les hommes, que ceus qui commandent aus autres ? Toymesme, Jupiter, les appelles pasteurs de Peuples : veus qu'il leur soit obeï sous peine de la vie : et neanmoins l'origine est venue par cette Dame. Mais ainsi que tousjours as acoutumé faire, tu as converti à bien ce que les hommes avoient inventé à mal. Mais, pour retourner à mon propos, quels hommes sont plus honorez que les fols ? Qui fut plus fol qu'Alexandre, qui se sentant soufrir faim, soif, et quelquefois ne pouvant cacher son vin, suget à estre malade et blessé, neanmoins se faisoit adorer comme Dieu ? Et quel nom est plus celebre entre les Rois : quels gens ont esté pour un tems en plus grande reputacion, que les Filozofes ? Si en trouverez vous peu, qui n'ayent esté abruvez de Folie. Combien pensez vous qu'elle ait de fois remué le cerveau de Chrysippe ? Aristote ne mourut il de dueil, comme un fol, ne pouvant entendre la cause du flus et reflus de l'Euripe ? Crate, getant son tresor en la mer, ne fit il un sage tour ? Empedocle qui se fust fait immortel sans ses sabots d'erain, en avoit il ce qui lui en falloit ? Diogene avec son tonneau : et Aristippe qui se pensoit grand Filozofe, se sachant bien ouy d'un grand Signeur, estoient ils sages ? Je croy qui regarderoit bien avant leurs opinions, que lon les trouveroit aussi crues, comme leurs cerveaus estoient mal faits. Combien y ha il d'autres sciences au monde, lesquelles ne sont que pure resverie ? encore que ceus qui en font professions, soient estimez grans personnages entre les hommes ? Ceus qui font des maisons au Ciel, ces guetteurs de points, faiseurs de characteres, et autres semblables, ne doivent ils estre mis en ce reng ? N'est à estimer cette fole curiosité de mesurer le Ciel, les Estoiles, les Mers, la Terre, consumer son tems à conter, guetter, aprendre mile petites questions qui de soy sont foles : mais neanmoins resjouissent l'esprit : le font aparoir grand et subtil autant que si c'estoit en quelque cas d'importance. Je n'aurois jamais fait, si je voulois raconter combien d'honneur et de reputacion tous les jours se donne à cette Dame, de laquelle vous dites tant de mal. Mais pour le dire en un mot : Mettez moy au monde un homme totalement sage d'un coté, et un fol de l'autre : et prenez garde lequel sera plus estimé. Monsieur le sage atendra que lon le prie, et demeurera avec sa sagesse sans que l'on l'apelle à gouverner les Viles, sans que l'on l'apelle en conseil : il voudra escouter, aller posément ou il sera mandé : et on ha afaire de gens qui soient pronts et diligens, qui faillent plus tôt que demeurer en chemin. Il aura tout loisir d'aller planter des chous. Le fol ira tant et viendra, en donnera tant à tort et à travers, qu'il rencontrera en fin quelque cerveau pareil au sien qui le poussera : et se fera estimer grand homme. Le fol se mettra entre dix mile harquebuzades, et possible, en eschapera : il sera estimé, loué, prisé, suivi d'un chacun. Il dressera quelque entreprise, escervelee, de laquelle s'il retourne, il sera mis jusques au ciel. Et trouverez vray, en somme, que pour un homme sage, dont on parlera au monde, y en aura dix mile fols qui seront à la vogue du peuple. Ne vous sufit il de ceici ? Assembleray-je les maus qui seroient au monde sans Folie, et les commoditez qui proviennent d'elle ? Que dureroit mesme le monde, si elle n'empeschoit que l'on ne previt les facheries et hazars qui sont en

mariage ? Elle empesche que lon ne les voye et les cache : à fin
que le monde se peuple tousjours à la maniere acoutumee.
Combien dureroient peu aucuns mariages, si la sottise des hommes ou des femmes laissoit voir les vices qui y sont ? Qui ust
traversé les mers, sans avoir Folie pour guide ? se commettre à
la misericorde des vents, des vagues, des bancs, et rochers, perdre la terre de vuë, aller par voyes inconnues, trafiquer avec
gens barbares et inhumains, dont il est premierement venu,
que de Folie ? Et toutefois par là sont communiquees les richesses d'un païs à autre, les sciences, les façons de faire, et ha esté
connue la terre, les proprietez, et natures des herbes, pierres et
animaus. Quelle folie fust ce d'aller sous terre chercher le fer
et l'or ? combien de mestiers faudroit il chasser du monde, si
Folie en estoit bannie ? La plus part des hommes mouroient de
faim : dequoy vivroient tant d'Avocats, Procureurs, Greffiers,
Sergens, Juges, Menestriers, Farseurs, Parfumeurs, Brodeurs, et
dix mile autres mestiers ? Et pource qu'Amour s'est voulu
munir, tant qu'il ha pù, de la faveur d'un chacun, pour faire
trouver mauvais que par moy seule il ait reçu quelque infortune,
c'est bien raison qu'apres avoir ouy toutes ses vanteries, je lui
conte à la verité de mon fait. Le plaisir, qui provient d'Amour,
consiste quelquefois ou en une seule personne, ou bien pour le
plus, en deus, qui sont l'amant et l'amie. Mais le plaisir que
Folie donne, n'a si petites bornes. D'un mesme passetems elle
fera rire une grande compagnie. Autrefois elle fera rire un
homme seul de quelque pensee, qui sera venue donner à la tra-
verse. Le plaisir que donne Amour, est caché et secret : celui
de Folie se communique à tout le monde. Il est si recreatif,
que le seul nom esgaie une personne. Qui verra un homme
enfariné avec une bosse derriere entrer en salle, ayant une
contenance de fol, ne rira il incontinent ? Que lon nomme quelque fol insigne, vous verrez qu'à ce nom quelcun se resjouira,
et ne pourra tenir le rire. Tous autres actes de Folie sont tels,

que lon ne peut en parler sans sentir au cœur quelque alle-
gresse, qui desfache un homme et le provoque à rire. Au
contraire, les choses sages et bien composees, nous tiennent premierement en admiracion : puis nous soulent et ennuient. Et
ne nous feront tant de bien, quelques grandes que soient et ceri-
monieuses, les assemblees de grands Signeurs et Sages, que fera
quelque folatre compagnie de jeunes gens deliberez, et qui n'auront ensemble nul respect et consideracion. Seulement icelle
voir, resveille les esprits de l'ame, et les rend plus dispos à faire
leurs naturelles operacions : Ou, quand on sort de ces sages
assemblees, la teste fait mal : on est las tant d'esprit que de
corps, encore que lon ne soit bugé de sus une sellette. Toutefois,
ne faut estimer que les actes de Folie soient tousjours ainsi
legers comme le saut des Bergers, qu'ils font pour l'amour de
leurs amies : ny aussi deliberez comme les petites gayetez des
Satires : ou comme les petites ruses que font les Pastourelles,
quand elles font tomber ceus qui passent devant elles, leur
donnant par derriere la jambette, ou leur chatouillant leur sommeil avec quelque branche de chesne. Elle en ha, qui sont plus
severes, faits avec grande premeditacion, avec grand artifice,
et par les esprits plus ingenieus. Telles sont les Tragedies que
les garçons des vilages premierement inventerent : puis furent
avec plus heureux soin aportees es viles. Les Comedies ont de
là pris leur source. La saltacion n'a ù autre origine : qui est
une representacion faite si au vif de plusieurs et diverses his-
toires, que celui, qui n'oit la voix des chantres, qui acompagnent
les mines du joueur, entent toutefois non seulement l'histoire, mais les passions et mouvemens : et pense entendre les
paroles qui sont convenables et propres en tels actes : et, comme
disoit quelcun, leurs piez et mains parlans. Les Bouffons, qui
courent le monde, en tiennent quelque chose. Qui me pourra
dire, s'il y ha chose plus fole, que les anciennes fables contenues
es Tragedies, Comedies et Saltacions ? Et comment se peuvent

exempter d'estre nommez fols, ceux qui les representent, ayant pris et prenans tant de peines à se faire sembler autres qu'ils ne sont ? Est il besoin reciter les autres passetems, qu'a inventez Folie pour garder les hommes de languir en oisiveté ? N'a elle fait faire les somptueus Palais, Theatres, et Amphitheatres de magnificence incroyable, pour laisser témoignage de quelle sorte de folie chacun en son tems s'esbatoit ? N'a elle esté inventrice des Gladiateurs, Luiteurs et Athletes ? N'a elle donné la hardiesse et dexterité telle à l'homme, que d'oser, et pouvoir combattre sans armes un Lion, sans autre necessité ou atente, que pour estre en la grace et faveur du peuple ? Tant y en ha qui assaillent les Taureaus, Sangliers, et autres bestes, pour avoir l'honneur de passer les autres en folie : qui est un combat, qui dure non seulement entre ceus qui vivent de mesme tems, mais des successeurs avec leurs predecesseurs. N'estoit ce un plaisant combat d'Antoine avec Cleopatra, à qui dépendroit le plus en un festin ? Et tout celà seroit peu, si les hommes me trouvans en ce monde plus fols qu'eus, ne dressoient querelle contre les morts. Cesar se fachoit qu'il n'avoit encore commencé à troubler le monde en l'aage, qu'Alexandre le grand en avoit vaincu une grande partie. Combien Luculle et autres, ont ils laissé d'imitateurs, qui ont taché à les passer, soit à traiter les hommes en grand apareil, à amonceler les plaines, aplanir les montaignes, seicher les lacs, mettre ponts sur les mers (comme Claude Empereur), faire Colosses de bronze et pierre, arcs trionfans, Pyramides ? Et de cette magnifique folie en demeure un long tems grand plaisir entre les hommes, qui se destournent de leur chemin, font voyage expres, pour avoir le contentement de ces vieilles folies. En somme, sans cette bonne Dame l'homme seicheroit et seroit lourd, malplaisant et songeart. Mais Folie lui esveille l'esprit, fait chanter, danser, sauter, habiller en mile façons nouvelles, lesquelles changent de demi an en demi an, avec tousjours quelque aparence de raison, et pour quelque commodité. Si l'on invente un habit joint et rond, on dit qu'il est plus seant et propre : quand il est ample et large, plus honneste. Et pour ces petites folies, et invencions, qui sont tant en habillemens qu'en contenances et façons de faire, l'homme en est mieux venu, et plus agreable aus Dames. Et comme j'ay dit des hommes, il y aura grand' diference entre le recueil que trouvera un fol, et un sage. Le sage sera laissé sur les livres, ou avec quelques anciennes matrones à deviser de la dissolucion des habits, des maladies qui courent, ou à desmeler quelque longue genealogie. Les jeunes Dames ne cesseront qu'elles n'ayent en leur compagnie ce gay et joly cerveau. Et combien qu'il en pousse l'une, pinse l'autre, descoiffe, leve la cotte et leur face mile maus : si le chercheront elles tousjours. Et quand ce viendra à faire comparaison des deus, le sage sera loué d'elles, mais le fol jouira du fruit de leurs privautez. Vous verrez les Sages mesmes, encore qu'il soit dit que l'on cherche son semblable, tomber de ce côté. Quand ils feront quelque assemblee, tousjours donneront charge que les plus fols y soient, n'estimant pouvoir estre bonne compagnie, s'il n'y ha quelque fol pour resveiller les autres. Et combien qu'ils excusent sur les femmes et jeunes gens, si ne peuvent ils dissimuler le plaisir qu'ils y prennent, s'adresant toujours à eus, et leur faisant visage plus riant, qu'aus autres. Que te semble de Folie, Jupiter ? Est elle telle, qu'il la faille ensevelir sous le mont Gibel, ou exposer au lieu de Promethee, sur le mont de Caucase ? Est raisonnable la priver de toutes bonnes compagnies, ou Amour sachant qu'elle sera, pour la facher y viendra, et conviendra que Folie, qui n'est rien moins qu'Amour, lui quitte sa place ? S'il ne veut estre avec Folie, qu'il se garde de s'y trouver. Mais que cette peine, de ne s'assembler point, tombe sur elle, ce n'est raison. Quel propos y auroit il, quelle ust rendu une compagnie gaie et deliberee, et que sur ce bon point la fallust desloger ? Encore s'il demandoit que le premier qui auroit pris la place, ne fust empesché par l'autre, et que ce fust au premier venu, il y auroit quelque raison. Mais je lui montreray que jamais Amour ne fut sans la fille de Jeunesse, et ne peut estre autrement : et le grand dommage d'Amour, s'il avoit ce qu'il demande. Mais c'est une petite colère, qui lui ronge le cerveau, qui lui fait avoir ces étranges afeccions : lesquelles cesseront quand il sera un peu refroidi. Et pour commencer à la belle premiere naissance d'Amour, qu'y ha il plus despourvu de sens, que la personne à la moindre ocasion du monde vienne en Amour, en recevant une pomme, comme Cydipee ? en lisant un livre, comme la Dame Francisque de Rimini ? en voyant, en passant, se rende si tot serve et esclave, et conçoive esperance de quelque grand bien sans savoir s'il y en ha ? Dire que c'est la force de l'œil de la chose aymee, et que de là sort une sutile evaporacoen, ou sang, que nos yeux reçoivent, et entre jusques au cœur : ou, comme; pour loger un nouvel hoste, faut pour lui trouver sa place, mettre tout en desordre. Je say que chacun le dit : mais, s'il est vray, j'en doute. Car plusieurs ont aymé sans avoir ù cette ocasion, comme le jeune Gnidien, qui ayma l'euvre fait par Praxitelle. Quelle influxion pouvoit il recevoir d'un œil marbrin ? Quelle sympathie y avoit il de son naturel chaud et ardent par trop, avec une froide et morte pierre ? Qu'est ce donq qui l'enflammoit ? Folie, qui estoit logee en son esprit. Tel feu estoit celui de Narcisse. Son œil ne recevoit pas le pur sang et sutil de son cœur mesme : mais la fole imaginacion du beau portrait, qu'il voyoit en la fonteine, le tourmentoit. Exprimez tant que voudrez la force d'un œil : faites le tirer mile traits par jour; n'oubliez qu'une ligne qui passe par le milieu, jointe avec le sourcil, est un vray arc : que ce petit humide, que lon voit luire au milieu, est le trait prest à partir : si est ce que toutes ces flesches n'iront en autres cœurs, que ceus que Folie aura preparez. Que tant de grans personnages, qui ont esté et

sont de present, ne s'estiment estre injuriez, si pour avoir aymé
je les nomme fols. Qu'ils se prennent à leurs Filozofes, qui ont
estimé Folie estre privacion de sagesse, et sagesse estre sans passions : desquelles Amour ne sera non plus tot destitué, que la
Mer d'ondes et vagues : vray est qu'aucuns dissimulent mieus
leur passion : et s'ils s'en trouvent mal, c'est une autre espece
de Folie. Mais ceus qui montrent leurs afeccions estans plus
grandes que les secrets de leurs poitrines, vous rendront et
exprimeront une si vive image de Folie, qu'Apelle ne la sauroit
mieus tirer au vif. Je vous prie imaginer un jeune homme,
n'ayant grand afaire, qu'à se faire aymer : pigné, miré, tiré,
parfumé : se pensant valoir quelque chose, sortir de sa maison
le cerveau embrouillé de mile consideracions amoureuses : ayant
discouru mile bons heurs, qui passeront bien loin des cotes :
suivi de pages et laquais habillez de quelque livree représentant quelque travail, fermeté, et esperance : et en sorte viendra
trouver sa Dame à l'Eglise : autre plaisir n'aura qu'à geter force
œillades, et faire quelque reverence en passant. Et que sert ce
seul regard ? Que ne va il en masque pour plus librement parler ?
Là se fait quelque habitude, mais avec si peu de demontrance
du côté de la Dame, que rien moins. A la longue il vient quelque pruivauté : mais il ne faut encore rien entreprendre, qu'il
n'y ait plus de familiarité. Car lors on n'ose refuser d'ouir tous
les propos des hommes, soient bons ou mauvais. On ne creint
ce que l'on ha acoutumé voir. On prend plaisir à disputer les
demandes des poursuivans. Il leur semble que la place qui par-
lemente, est demi gaignee. Mais s'il avient, que, comme les
femmes prennent volontiers plaisir à voir debattre les hommes,
elles leur ferment quelquefois rudement la porte, et ne les
appellent à leurs petites privautez, comme elles souloient, voilà
un homme aussi loin de son but comme n'a gueres s'en pensoit pres. Ce sera à recommencer. Il faudra trouver le moyen
de se faire prier d'acompagner sa Dame en quelque Eglise,

aus jeus, et autres assemblees publiques. Et ce pendant expliquer ses passions par soupirs et paroles tremblantes : redire cent fois une mesme chose : protester, jurer, promettre à celle qui possible ne s'en soucie, et est tournee ailleurs et promise. Il me semble que seroit folie parler des sottes et plaisantes amours vilageoises : marcher sur le bout du pié, serrer le petit doit : après que lon ha bien bu, escrire sur le bout de la table avec du vin, et entrelasser son nom et celui de s'amie : la mener premiere à la danse, et la tourmenter tout un jour au Soleil. Et encore ceus, qui par longues alliances, ou par entrees ont pratiqué le moyen de voir leur amie en leur maison ou de leur voisin, ne viennent en si estrange folie, que ceus qui n'ont faveur d'elles qu'aus lieus publiques et festins : qui de cent soupirs n'en peuvent faire connoitre plus d'un ou deus le mois : et neanmoins pensent que leurs amies les doivent tous conter. Il faut avoir tousjours pages aus escoutes, savoir qui va, qui vient, corrompre les chambrieres à beaus deniers, perdre tout un jour pour voir passer Madame par la rue, et pour toute remuneracion, avoir un petit adieu avec quelque sourzis, qui le fera retourner chez soy plus content, que quand Ulysse vid la fumee de son Itaque. Il vole de joye : il embrasse l'un, puis l'autre : chante vers : compose, fait s'amie la plus belle qui soit au monde, combien que possible soit laide. Et si de fotune survient quelque jalousie, comme il avient le plus souvent, on ne rit, on ne chante plus : on devient pensif et morne : on connoit ses vices et fautes : on admire celui que lon pense estre aymé : on parangonne sa beauté, grace, richesse, avec celui duquel on est jalous : puis soudein on vient à le despriser : qu'il n'est possible, estant de si mauvaise grace, qu'il soit aymé : qu'il est impossible qu'il face tant son devoir que nous, qui languissons, mourons, brulons d'Amour. On se pleint, on apelle s'amie; cruelle, variable : lon se lamente de son malheur et destinee. Elle n'en fait que rire, on lui fait acroire qu'à tort il se pleint : on trouve mauvaises ses querelles, qui ne viennent que d'un cœur soupsonneus et jalous : et qu'il est bien loin de son conte : et qu'autant lui est de l'un que de l'autre. Et lors je vous laisse penser qui ha du meilleur. Lors il faut connoître que lon ha failli par bien inventees, festins, banquets. Si la commodité se trouve, faut se faire paroitre par dessus celui dont on est jalous. Il faut se montrer liberal : faire present quelquefois de plus que lon ha; incontinent qu'on s'aperçoit que lon souhaite quelque chose, l'envoyer tout soudein, encores qu'on n'en soit requis : et jamais ne confesser que lon soit povre. Car c'est une tresmauvaise compagne d'Amour, que Povreté : laquelle estant survenue, on connoit sa folie, et l'on s'en retire à tard. Je croy que ne voudriez point encore ressembler à cet Amoureus, qui n'en ha que le nom. Mais prenons le cas que lon lui rie, qu'il y ait quelque reciproque amitié, qu'il soit prié se trouver en quelque lieu : il pense incontinent qu'il soit fait, qu'il recevra quelque bien, dont il est bien loin : une heure en dure cent : on demande plus de fois quelle heure il est : on fait semblant d'estre demandé : et quelque mine que lon fasse, on lit au visage qu'il y ha quelque passion vehemente. Et quand on aura bien couru, on trouvera que ce n'est rien, et que c'estoit pour aller en compagnie se promener sur l'eau, ou en quelque jardin : ou aussi tot un autre aura faveur de parler à elle que lui, qui ha esté convié. Encore ha il ocasion de se contenter, à son avis. Car si elle n'ust plaisir de le voir, elle ne l'ust demandé en sa compagnie. Les plus grandes et hazardeuses folies suivent tousjours l'accroissement d'Amour. Celle qui ne pensoit qu'à se jouer au commencement, se trouve prise. Elle se laisse visiter à l'heure suspecte. En quels dangers ? D'y aller accompagné, seroit declarer tout. Y aller seul, est hazardeus. Je laisse les ordures et infeccions, dont quelquefois on est parfumé. Quelquefois se faut desguiser en portefaix, en Cordelier, en femme : se faire

porter dans un coffre à la merci d'un gros vilain, que s'il savoit
ce qu'il porte, le lairroit tomber pour avoir sondé son fol faix.
Quelquefois ont esté surpris, batuz, outragez, et ne s'en ose lon
vanter. Il se faut guinder par fenestres, par sus murailles, et
tousjours en danger, si Folie n'y tenoit la main. Encore ceus
cy ne sont que des mieus payez. Il y en ha qui rencontrent
Dames cruelles, desquelles jamais on n'obtient merci. Autres
sont si rusees, qu'apres les avoir menez jusques aupres du but,
les laissent là. Que font ils ? apres avoir longuement soupiré,
ploré et crié, les uns se rendent Moynes : les autres abandonnent
le païs : les autres se laissent mourir. Et penseriez vous, que
les amours des femmes soient de beaucoup plus sages ? les
plus froides se laient bruler dedens le corp avant que de
rien avouer. Et combien qu'elles vouissent prier, si elles osoient,
elles se laissent adorer : et tousjours refusent ce qu'elles voudroient bien que lon leur otast par force. Les autres n'atendent
que l'ocasion : et heureus qui la peut rencontrer. Il ne faut
avoir creinte d'estre escondiut. Les mieus nees ne se laissent
veincre, que par le tems. Et se connoissant estre aymees, et
endurant en fin le semblable mal qu'elles ont fait endurer à
autrui, ayant fiance de celui auquel elles se descouvrent, avouent
leur foiblesse, confessent le feu qui les brule : toutefois encore
un peu de honte les retient, et ne se laissent aller, que vaincues,
et consumees à demi. Et aussi quand elles sont entrees une
fois avant, elles font de beaus tours. Plus elles ont resisté à
Amour, et plus s'en treuvent prises. Elles ferment la porte à
raison. Tout ce qu'elles creignoient, ne le doutent plus. Elles
laissent leurs occupacions muliebres. Au lieu de filer, coudre,
besongner au point, leur estude est se bien parer, promener
es Eglise, festes, et banquets pour avoir tousjours quelque rencontre de ce qu'elles ayment. Elles prennent la plume et le lut
en main : escrivent et chantent leurs passions : et en fin croit
tant cette rage, qu'elles abandonnent quelquefois pere, mere,

200

maris, enfans, et se retirent ou est leur cœur. Il n'y ha rien qui plus se fache d'estre contreint, qu'une femme : et qui plus se contreingne ou elle ha envie montrer son afeccion. Je voy souventefois une femme, laquelle n'a trouvé la solitude et prison d'environ sept ans longue, estant avec la personne qu'elle aymoit. Et combien que nature ne lui ust nié plusieurs graces, qui ne la faisoient indine de toute bonne compagnie, si est ce qu'elle ne vouloit plaire à autre que celui qui la tenoit prisonniere. J'en ay connu une autre, laquelle absente de son ami, n'alloit jamais dehors qu'accompagnee de quelcun des amis et domestiques de son bien aymé : voulant tousjours rendre témoignage de la foy qu'elle lui portoit. En somme, quand cette afeccion est imprimee en un cœur genereus d'une Dame, elle y est si forte, qu'à peine se peut elle efacer. Mais le mal, est, que le plus souvent elles rencontrent si mal : que plus ayment, et moins sont aymees. Il y aura quelcun qui sera bien aise leur donner martel en teste, et fera semblant d'aymer ailleurs, et n'en tiendra conte. Alors les povrettes entrent en estranges fantasies : ne peuvent si aisément se defaire des hommes, comme les hommes des femmes, n'ayans la commodité de s'eslongner et commencer autre parti, chassans Amour avec un autre Amour. Elles blament tous les hommes pour un. Elles appellent foles celles qui ayment. Maudissent le jour que premierement elles aymeront. Protestent de jamais n'aymer : mais celà ne leur dure gueres. Elles remettent incontinent devant les yeus ce qu'elles ont tant aymé. Si elles ont quelque enseigne de lui, elles la baisent, rebaisent, sement de larmes, s'en font un chevet et oreiller, et s'escoutent elles mesmes pleignantes leurs miserables detresses. Combien en voy je, qui se retient jusques aus Enfers, pour essaier si elles pourront, comme jadis Orphee, revoquer leurs amours perdues ? Et en tous ces actes, quel traits trouvez vous que de Folie ? Avoir le cœur séparé de soymesme, estre meintenant en paix, ores en guerre, ores en treve couvrir et cacher sa douleur : changer visage mile fois le jour : sentir le sang qui lui rougit la face, y montant : puis soudein s'enfuit, la laissant palle, ainsi que honte, esperance, ou peur, nous gouvernent : chercher ce qui nous tourmente, feignant le fuir. Et neanmoins avoir creinte de le trouver : n'avoir qu'un petit ris entre mile soupirs : se tomper soymesme : bruler de loin, geler de pres : un parler interrompu : un silence venant tout à coup : ne sont ce tous signes d'un homme aliéné de son bon entendement ? Qui excusera Hercule devidant les pelotons d'Omphale ? Le sage Roi Hebrieu avec cette grande multitude de femmes ? Annibal s'abatardissant autour d'une Dame ? et maints autres, que journellement voyons s'abuser tellement, qu'ils ne se connoissent eus mesmes. Qui en est cause, sinon Folie ? Car c'est elle en somme, qui fait Amour grand et redouté : et le fait excuser, s'il fait quelque chose autre que de raison. Reconnois donq, ingrat Amour, que tu es, et de combien de biens je te suis cause ? Je te fay grand : je te fay eslever ton nom : voire et ne t'ussent les hommes reputé Dieu sans moy. Et apres que t'ay tousjours acompagné, tu ne me veus seulement abandonner, mais me veus renger à cette sugeccion de fuir tous les lieus ou tu seras. Je crois avoir satisfait à ce qu'avois promis montrer : que jusques ici Amour n'avoir esté sans Folie. Il faut passer outre, et montrer qu'impossible est d'estre autrement. Et pour y entrer : Apolon, tu me confesseras, qu'Amour n'est autre chose qu'un desir de jouir, avec une conjonccion, et assemblement de la chose aymee. Estant Amour desir, ou, quoy que ce soit, ne pouvant estre sans desir : il faut confesser qu'incontinent que cette passion vient saisir l'homme, elle l'altère et immue. Car le desir incessamment se demeine dedens l'ame, la poingnant tousjours et resveillant. Cette agitacion d'esprit, si elle estoit naturelle, elle ne l'afligeroit de la sorte qu'elle fait : mais, estant contre son naturel, elle le malmeine, en sorte qu'il se fait tout autre qu'il n'estoit. Et ainsi en soy n'estant l'esprit à son aise, mais troublé et agité, ne peut estre dit sage et posé. Mais encore fait il pis : car il est contreint se descouvrir : ce qu'il ne fait que par le ministere et organe du corps et membres d'icelui. Et estant une fois acheminé, il faut que le poursuivant en amours face deux choses : qu'il donne à connoitre qu'il ayme : et qu'il se face aymer. Pour le premier, le bien parler y est bien requis : mais seul ne suffira il. Car le grand artifice, et douceur inusitee, fait soupsonner pour le premier coup, celle qui l'oit : et la fait tenir sur ses gardes. Quel autre témoignage faut-il ? Tousjours l'occasion ne se présente à combattre pour sa Dame, et defendre sa querelle. Du premier abord vous ne vous ofrirez à lui ayder en ses afaires domestiques. Si faut il à croire que lon est passionné. Il faut long tems, et long service, ardentes prieres, et conformité de complexions. L'autre point, que l'Amant doit gaigner, c'est se faire aymer : lequel provient en partie de l'autre. Car le plus grand enchantement, qui soit pour estre aymé, c'est aymer. Ayez tant de sufumigacions, tant de charactères, adjuracions, poudres, et pierres, que voudrez : mais si savez bien vous ayder, montrant et declarant votre amour : il n'y aura besoin de ces estranges receptes. Donq pour se faire aymer, il faut estre aymable. Et non simplement aymable, mais au gré de celui qui est aymé : auquel se faut renger, et mesurer tout ce que voudrez faire ou dire. Soyez paisible et discret. Si votre Amie ne vous veut estre telle, il faut changer voile et naviguer d'un autre vent : ou ne se mesler point d'aymer. Zethe et Amphion ne se pouvoient acorder, pource que la vacacion de l'un ne plaisoit à l'autre. Amphion ayma mieus changer, et retourner en grace avec son frere. Si la femme que vous aymez est avare, il faut transmuer en or, et tomber ainsi en son sein. Tous les serviteurs et amis d'Atalanta estoient chasseurs, pource qu'elle y prenoit plaisir. Plusieurs femmes, pour plaire à leurs Poëtes amis, ont changé leurs paniers et coutures, en plumes et livres. Et certes il est impossible plaire, sans suivre les afeccions de celui que nous cherchons. Les tristes se fachent d'ouir chanter. Ceus qui ne veulent aller que le pas, ne vont volontiers avec ceux qui tousjours voudroient courir. Or me dites, si ces mutacions contre notre naturel, ne sont vrayes folies, ou non exemptes d'icelle ? On dira qu'il se peut trouver des complexions si semblables, que l'Amant n'aura point de peine de se transformer es meurs de l'aymee. Mais si cette amitié est tant douce et aisée, la folie sera de s'y plaire trop : en quoy est bien difficile de mettre ordre. Car si c'est vray amour, il est grand et vehement, et plus fort que toute raison. Et, comme le cheval ayant la bride sur le col, se plonge si avant dedens cette douce amertume, qu'il ne pense aus autres parties de l'ame, qui demeurent oisives : et par une repentance tardive, apres un long tems, témoigne à ceux qui l'oyent, qu'il ha esté fol comme les autres. Or si vous ne trouvez folie en Amour de ce coté là dites moy entre vous autres Signeurs, qui fait estant profession d'Amour, ne confessez vous que Amour cherche union de soy avec la chose aymee ? qui est bien le plus fol desir du monde : tant par ce que le cas avenant, Amour faudroit par soymesme, estant l'Amant et l'Aymé confonduz ensemble, que aussi il est impossible qu'il puisse avenir estant les especes et choses individues tellement separees l'une de l'autre, qu'elles ne se peuvent plus conjoindre, si elles ne changent de forme. Alleguez moi des branches d'arbres qui s'unissent ensemble. Contez moy toutes sortes d'Antes, que jamais le Dieu des jardins inventa. Si ne trouverez vous point que deus hommes soient jamais devenuz en un : et y soit le Gerion à trois corps tant que voudrez. Amour donc ne fut jamais sans la compagnie de Folie et ne le sauroit estre. Et quand il pourroit ce faire, si ne le devroit il pas souhaiter : pource que l'on ne tiendroit conte de lui à la fin. Car quel pouvoir auroit il, ou quel lustre, s'il estoit près de Sagesse ? Elle lui diroit, qu'il ne fau-

dra aymer l'un plus que l'autre : ou pour le moins n'en faire
semblant de peur de scandaliser quelcun. Il ne faudroit rien faire
plus pour l'un que pour l'autre : et seroit à la fin Amour
aneanti, ou divisé en tant de pars, qu'il seroit bien foible. Tant
s'en faut que tu doives estre sans Folie, Amour, que si tu es
bien conseillé, tu ne demanderas plus tes yeus. Car il ne t'en
est besoin, et te peuvent nuire beaucoup : desquels si tu t'estois bien regardé quelquefois, toy-mesme te voudrois mal. Pen-
sez-vous qu'un soudart, qui va à l'assaut, pense au fossé,
aus ennemis, et mile harquebuzades qui l'atendent ? non. Il
n'a autre but que parvenir au haut de sa bresche : et n'imagine point le reste. Le premier qui se mit en mer n'imagi-
noit point les dangers qui y sont. Pensez vous que le joueur
pense jamais perdre ? Si sont ils tous trois au hazard d'estre
tuez, noyez, et destruiz. Mais quoy, ils ne voyent et ne veulent
voir ce qui leur est dommageable. Le semblable estimez des
Amans : que si jamais ils voyent, et entendent clerement le
peril ou ils sont, combien ils sont trompez et abusez, et quelle
est l'esperance qui les fait tousjours aller avant jamais n'y
demeureront une seule heure. Ainsi se perdroit ton regne, Amour :
lequel dure par ignorance, nonchaillance, esperance, et cecité,
qui sont toutes damoiselles de Folie, lui faisans ordinaire compagnie. Demeure donq en paix, Amour : et ne vien rompre
l'ancienne ligue qui est entre toy et moy : combien que tu n'en
susses rien jusqu'à present. Et n'estime que je t'ay crevé les
yeux, mais que je t'ay montré, que tu n'en avois aucun usage
auparavant, encore qu'ils te fussent à la teste que tu as de present. Reste de te prier, Jupiter et vous autres Dieus, de n'avoir
point de respect aus noms (comme je say que n'aurez) mais
regarder à la verité et dinité des choses. Et pourtant, s'il est plus
honorable entre les hommes dire un tel ayme, que il est fol :
que celà leur soit imputé à l'ignorance. Et pour n'avoir en
commun la vraye intelligence des choses, n'y pù donner noms

selon leur vray naturel, mais au contraire avoir baillé noms à laides choses, et laides aus belles, ne delaissez, pour ce, à me conserver Folie en sa dinité et grandeur. Ne laissez perdre cette belle Dame, qui vous ha donné tant de contentement avec Genie, Jeunesse, Bacchus, Silene, et ce gentil Gardien des Jardins. Ne permettez pas facher celle, que vous avez conservee jusques ici sans rides., et sans pas un poil blanc. Et n'otez, à l'apetit de quelque colere, le plaisir d'entre les hommes. Vous les avez otez du Royaume de Saturne : ne les y faites plus entrer : et, soit en Amour, soit en autres afaires, ne les enviez, si pour apaiser leurs facheries, Folie les fait esbatre et s'esjouir. J'ay dit.

> *Quand Mercure ut fini la defense de Folie, Jupiter voyant les Dieus estre diversement afeccionnez et en contrarietez d'opinions, les uns se tenans du coté de Cupidon, les autres se tournans à aprouver la cause de Folie : pour apointer le diferent, à prononcer un arrest interlocutoir en cette manière :*

JUPITER. — Pour la dificulté et importance de vos diferens, et diversité d'opinions, nous avons remis votre afaire d'ici à trois fois, sept fois, neuf siècles. Et ce pendant vous commandons vivre amiablement ensemble, sans vous outrager l'un l'autre. Et guidera Folie l'aveugle Amour, et le conduira par tout ou bon lui semblera. Et sur la restitucion de ses yeux, apres en avoir parlé aus Parques, en sera ordonné.

206

TESTAMENT

Au nom de Dieu, amen. A tous ceux qui ces présentes lettres verront, Nous, garde du sceau commun royal établi aux contrats du baillage de Macon et sénéchaussée de Lyon, savoir faisons que, par devant Pierre de la Forest, notaire et tabellion royal dessous signé et en présence des témoins après nommés, a été présente dame Loyse Charlin dite Labé, veuve de feu Ennemond Perrin, en son vivant bourgeois citoyen habitant à Lyon, laquelle faisait de son bon gré et âme pieuse et pure volonté, sans force ni contrainte, mais de sa libérale volonté, considérant qu'il n'est rien si certain que la mort ni moins incertain que l'heure d'icelle, ne voulant de ce monde décéder sans tester et ordonner des biens qu'il a plu à Dieu lui donner en ce mortel monde, afin que, après son décès et trépas... différent n'en advienne entre ses successeurs...

... *Item*, ladite testatrice, en cas qu'elle décède en cette ville de Lyon, élit la sépulture de son corps en l'église de Notre-Dame de Confort et où décédera ailleurs, et veut être enterrée en la paroisse dudit lieu où elle décédera, et veut être enterrée sans pompe ni superstitions, à savoir de nuit, à la lanterne accompagnée de quatre prêtres, entre les porteurs de son corps, et ordonne être distes en l'église du lieu où elle décédera une grande messe à diacre et à sous-diacre et cent petites messes continuellement jusques à huit jours après son décès et veut que semblable service soit fait l'an révolu de son décès et donne à l'église où elle sera enterrée la somme de cent livres pour une fois, à savoir 25 livres pour faire lesdits services et le reste pour employer en réparations, laquelle somme elle veut être payée auxdits desservants, à savoir 12 livres dix sols après son décès, autres 12 livres dix sols pour ledit service avec le surplus desdites cent livres pour lesdites réparations dans l'an après son décès que ledit service sera fait.

Item, ladite testatrice émue de dévotion, a doté, fondé et légué à ladite église de Parcieux en Dombes une pension annuelle et perpétuelle d'une ânée de vin et une mesure de blé, froment bon, pur et marchand, mesure dudit lieu laquelle pension elle impose sur sa grange et tenements qu'elle a audit lieu de Parcieux en Dombes et veut être payée au sieur desservant par chacun an, à chacune fête de Saint-Martin d'hiver à commencer à la prochaine fête de Saint-Martin après le décès de ladite testatrice, à la charge que lesdits desservants et leurs successeurs seront tenus dire et célébrer perpétuellement ou par chacune semaine, une messe basse en ladite église, à son intention et de ses parents et amys, à commencer dans la semaine après son décès...

Item, ladite testatrice, pour charité, pitié, aumônes, a légué et donné aux pauvres la somme de 1000 livres de fonds, avec les dons au profit de cinq pour cent en autre profit qu'il plaira au Roy donner à cause de ladite somme et icelle prendra sur le crédit de plus grande somme qu'elle a au grand party du roy sous le nom de sieur Thomas Fortin... laquelle somme de fonds ou dons et revenus ladite testatrice veut être distribuée aux pauvres par ledit Fortin, lequel elle prie d'en prendre la charge et après le décès d'iceluy Fortin et ou ladite somme par lui n'aurait pas été distribuée en laisse la charge aux recteurs de l'Aumosne Générale de cette ville de Lyon, ainsi que lesdits Fortin et recteurs, verront être plus charitable.

Item, ladite testatrice a donné et légué pour aider à marier trois pauvres filles, à chacune la somme de cinquante livres tournois... *Item*, ladite testatrice a donné et prelégué et principe et avantage à Pierre Charly dit Labé son neveu, et l'un de ses héritiers après nommée le reste des deniers...

Item, ladite testatrice donne et lègue à quatre filles d'un nommé Villard de Parcieux son voisin, à chacune d'elles une robe jusqu'à cinq livres tournois... *Item*, ladite testatrice donne et lègue à Antoinette... jadis servante de ladite testatrice, la somme de cent livres tournois...

Item, donne et lègue... à une sienne chambrière, qu'elle a dit être nommée Pernette, jeune fille, la somme de cinquante livres...

Item, donne et lègue icelle testatrice à autre Pernette, sa vieille chambrière qu'elle tient à la grange de Parcieux, une pension viagère de dix livres, d'un poinçon de trois années de vin et d'une année de blé froment, le tout bon, pur, net et marchand tant pour reste de ses gages que pour deniers qu'elle lui a baillé en garde...

... Et au cas, où lesdits héritiers susnommés vinssent à troubler ou à empêcher ledit Fortin et les siens en la jouissance actuelle desdits biens légués, ou qu'ils le voulussent contraindre à faire inventaire, bailler caution, ou de les prendre par les mains desdits héritiers; en ce cas, ladite testatrice a révoqué et révoque l'institution d'héritier faite au profit de ses héritiers après nommés : en ce cas a institué et institue et nomme de sa propre bouche ses héritiers universels en tous ses biens, les pauvres de l'Aumosne Générale de cette ville de Lyon...

... constitue, crée, et nomme de sa propre bouche ses héritiers universels à savoir; ses bien-aimés Jacques Charlin dit Labé, et ledit Pierre Charlin son frère, neveux, de ladite testatrice, et enfants de feu François Charlin... et chacun d'eux par moitié et égale portion, et leurs enfants mâles, naturels et légitimes, et de chacun d'eux, et cas advenant que lesdits neveux héritiers susdits ou leurs enfants mâles vinrent à décéder sans enfants mâles et légitimes, audit cas et iceluy advenant,

209

ladite testatrice a substitué et substitue... les filles descendantes du degré desdits héritiers... et... après le décès desdites filles... ladite testatrice a substitué et substitue les pauvres de l'Aumosne Générale...

... ladite testatrice a fait par ses présentes, exécuteur de ce présent son testament ledit Sieur Thomas Fortin, auquel elle donne pouvoir et puissance de prendre de ses dits biens pour l'entier accomplissement de cedit présent son testament : priant et réquérant ladite testatrice les dits témoins après nommés d'être records de cette présente ordonnance de dernière volonté, la tenir secrète jusques à ce qu'il plaira à Dieu l'avoir appelée, et après en porter bon témoignage en temps et lieu...

Fait et passé à Lyon, en la maison d'habitation du Sieur Thomas Fortin ladite testatrice étant au lit malade, le samedi vingt-huitième jour d'avril 1565...

Présents Bernardo Rappoty, Antoine Pansy, florentin, Martin Prévost, apothicaire, Maitre Claude Alamani, maitre es arts, Germain Vacque, cordonnier, Pierre Maliquet, couturier, Claude Panissera, piemontois, tous demeurant à Lyon, témoins appelés et requis, ladite testatrice, ensemble lesdits Rappoty, Pansy, Alamani, Panissera et Prévost ont signé, et non lesdits Maliquet et Vacque, ne sachant signer, denement requis, suivant l'ordonnance.

GLOSSAIRE

Nous avons dit, dans les pages qui précèdent, ce que nous pensions de la syntaxe escarpée et des aspérités orthographiques de l'œuvre de Louise Labé. Nous avons dit aussi que tout cela s'aplanissait dès que l'on commençait à pratiquer le livre. Seule difficulté donc : le vocabulaire. Là sont les pièges. D'où l'importance attribuée à ces explications de mots, sans aucune prétention linguistique. Mais dans le seul but de faciliter le dialogue avec Louise Labé.

A

Aage : âge.
Absent : séparé.
Acertener : assurer, rendre certain.
Acointer (s') : s'unir, fréquenter, rechercher la familiarité.
Acoutrer : orner, arranger, habiller.
Adestrer (s') : se dresser, se rendre habile à.
Adonq : alors.
Ainçois : plutôt, au contraire.
Ains : mais.
Aiourner, adiourner : faire jour.
Alléguer : lier.
Alener : respirer, souffler.
Animant : être vivant.
Antée : plantée.
Apareiller : préparer, fournir.
Apétit : désir, volonté, demande, pétition.
Apointer : mettre en ordre.
Ardre : brûler, incendier.
Areines : sable.
Atacher : attaquer.
Attaches : affiche.
Atourner : parer.
Aventureus, se : heureux, hasardeux.
Avolé : étourdi, volage.

B

Bailler : donner.
Baller : danser.
Basme : parfum, baume.

Baste : n'importe, il suffit.
Benivolence : bienveillance, bonté.
Blandissant : flattant, caressant.
Bois : lance.
Bresches : blessure.
Brief : en peu de mots.
Brouilliz : troubles.
Bruit : renommée, réputation.

C

Ça haut : là-haut.
Carmes : chants ou vers.
Caroler : se jouer de.
Cas : condamnation.
Caut : prudent, rusé, habile.
Cerne : rond, tour.
Cesser : s'impatienter, ne pas tenir en place.
Chaloir : se mettre en peine, se soucier.
Charactère : talisman, signe magique.
Citre : cithare.
Contegarder : défendre.
Coquilles : sornettes.
Courage : cœur.
Cuidé : croire.

D

Davantage : en outre.
Défaillir : manquer.

Dépendre, despendre : dépenser, utiliser.
Desclos : ouvert.
Desconfort : tristesse.
Desfacher . calmer.
Destrousser : voler.
Devis : conversation.
Devises : fêtes, jeux.
Discrecion : destination.
Doucine : flûte douce.
Duire : plaire, conduire.

E

Ebanoyer (s') : s'égayer, se divertir.
Effort : emploi, force.
Emmieleur : charmeur.
Empermé : garni de plumes.
Enamouré : rendu amoureux (et non pas devenu amoureux).
Enseigne : souvenir, image, portrait.
Épanir : s'épanouir ou faire épanouir.
Erre : hâte, rapidité, train soutenu.
Espandre : répandre (pour les larmes).
Estomac : poitrine.
Estour : combat, lutte, attaque.
Estrangé : éloigné, changé.

F

Fame : renommée, réputation.
Fiancer (se) : avoir confiance.
Femmelle : petite femme (utilisé au XVIᵉ siècle que dans la poésie).
Ferrer : en finir.
Flouet : léger, délicat.
Forsaire : forçat.

G

Gaillarde : danse ancienne.

Garce : jeune fille (terme n'ayant rien de péjoratif au XVIᵉ siècle).
Gargouillant : murmurant.
Géniale : conjugale (souvent : agréable et joyeuse).
Getteurs (de points) : astrologues.
Grief : grave, pénible, rigoureux.
Guinder : hisser, exhausser.

H

Ha (il) : il a (pour distinguer de la préposition *à*).
Haim : hameçon.
Hébenin : d'ébène.
Hostie : victime.

I

Ia : déjà.
Iambette : croc-en-jambe.
Immuer : changer.
Itéré : répété, réitéré.
Ius : à bas, à terre.

J

Ja : jamais.
Jeunesses : œuvres de jeunesse, mais plus souvent sottises ou enfantillages.

L

Lampéger : briller.
Lever : arracher.
Lézarde : bavarde, blessante.
Loz : gloire, louange.

M

Madrigale : pièce de musique.

Mastis : sorte de fleur (**thymus mastichina**).
M'encor : moi encore.
Montre : revue, défilé.
Moresque : danse.
Moyenner desplaisir : faire de la peine, faire souffrir.
Mulièbre : d'épouse, de féminin.

N

Naïf : natif.
Navré : blessé.
Noise : querelle.
Nonchalloir : négliger, mépriser.
Nubileux : nuageux.
Nuitée : l'espace d'une nuit.

O

Obombrer : ombrager.
Oit : entend.
Or, ore, or', ores : maintenant.
Onques : jamais.
Orrez : entendrez.
Ou : quelquefois, tandis que.
Outré : malgré.
Outrer : frapper.
Outrecuider : avoir de l'insolence.

P

Parangonner : comparer.
Paranner : perpétuer.
Passemesse : danse italienne chantée.
Plein, pleinte : plainte.
Preschement : prédication.
Privément : familièrement.

Q

Que : ce que.
Quiconque sois : qui que tu sois.
Quoy : tranquille, en repos.

R

Ramentevoir : rappeler à la mémoire.
Rebouché : émoussé, faussé.
Redvire en mémoire : remettre en mémoire.
Rescous : délivré, exempté.
Respect : raison, rapport, relation.
Révoquer : remémorer.
Robber : dérober.
Robbon : petite robe courte.

S

Sagette : flèche.
Saltation : pantomime.
Saillie : sortie.
Saye, sayon : habit court ou robe de dessus.
Sciour : repos.
Si : néanmoins.
Souef : agréablement.
Souloir : avoir l'habitude de.
Succéder : advenir, réussir.
Sufumigation : combustion (mais aussi fumigation au sens magique) de plantes odorantes.
Sutil : subtil.

T

Temples : tempes (parties de la tête).
Tourbe : foule.
Travail, travailler : tourment, souffrir.
Tremper : tempérer.

V

Vacation : emploi, art.
Veuil, vevil : vouloir, volonté, désir.
Vousissent : voulussent.

Y

Yeus : faire passer devant les yeux (expression proverbiale signifiant faire accroire).

BIBLIOGRAPHIE

Considérable est la bibliographie des œuvres de Louise Labé et des ouvrages qui sont consacrés à sa vie ou à ses écrits. Il nous a donc paru nécessaire de faire un choix dans ce domaine, mais choix guidé par l'objectivité des thèses présentées et par l'attrait des appareils critiques de chacun des ouvrages mentionnés : éditions collectives, anthologies ou publications partielles assorties de commentaires.

I. Éditions originales

1ʳᵉ édition : *Evvres de Lovīze Labé Lionnoize*, à Lion, par Jan de Tournes, 1555, achevée d'imprimer le 12 août. Petit volume in-8° de 173 pages, avec errata où sont corrigées quatre fautes d'impression, prose en lettres romaines et poésies en italiques.

2ᵉ édition : *Evvres de Lovīze Labé Lionnoize*, à Lion, par Jan de Tournes, 1556, « revues et corrigées par ladite Dame ». Même format, mêmes caractères, mais quatre différences :
1) Correction des fautes de l'errata.
2) Sur le frontispice, indication de « revues et corrigées... ».
3) Le Privilège du Roi, qui ne se trouve pas dans la première édition, occupe ici le verso du dernier feuillet et le recto suivant.
4) Possède un très joli fleuron, et a, en moins, l'Ode grecque.

3ᵉ édition : également de 1556, avec le même titre qu'en 1555. Format in-16, caractères différents : lettres romaines pour tout l'ouvrage. Pas de privilège. Certains érudits se demandent si cette édition ne serait pas une contrefaçon de celle de Jan de Tournes.

II. Éditions suivantes et modernes

1556 *Euvres de Louize Labé Lionnoize*, par Jan Garou, probablement de Rouen. Format in-16, avec 87 feuillets chiffrés, a suivi de près l'édition de 1555.

1762 *Œuvres de Louise Charly Lyonnoise, dite Labé, surnommée la Belle Cordière*, à Lyon chez les Frères Duplain libraires, et imprimées chez Aimé Delaroche.

Tirées à 525 exemplaires aux frais des gens de lettres. In-12, composées du Débat plus 24 sonnets, plus 3 élégies, plus 25 pièces à la louange de Louise Labé.

1815 *Œuvres de Louise Labé Lyonnoise, surnommée la Belle Cordière*, éditées à Brest par M. Michel, tirées à 140 exemplaires in-8°, et à partir de l'édition de 1555.

1824 *Œuvres de Louise Labé*, à Lyon, par Durand et Perrin aux frais d'une société de gens de lettres. In-8°, édition complète des œuvres de L. L., à laquelle s'ajoutent un dialogue entre Sapho et Louise Labé, servant de préface et imaginé par M. Dumas, une notice historique concernant la vie et les écrits de L. L. par M. Cochard, et finalement des notes et un commentaire par M. Bréghot du Lut.

Ces notes, où M. Bréghot consigne scrupuleusement les sources de ses recherches, et le commentaire chargé de souligner l'érudition de la poétesse sont sans doute la partie la plus intéressante de cette importante édition.

1824 La même année, Durand et Perrin publient une série d'éditions des œuvres de Louise Labé à partir de l'édition précédente. Les unes sont amputées des commentaires et des notices, les autres sont accompagnées de suppléments tel le « testament de L. L. ».

1845 *Œuvres de Louise Labé, lionnaise*, édition publiée par Léon Boitel, Lyon. 1 vol. in-12, édition de luxe tirée à 200 exemplaires, avec une notice de M. Collombet.

1853 *Les Euvres de Louize Labé*, édition publiée par les soins de MM. L. Cailhava et J.-B. Monfalcon, à Paris, imprimerie Simon, Raçon et Cie. 1 vol. in-8°.

1862 *Louise Labé, œuvres*, éditées à Lyon par M. Scheuring. Tirées à 209 exemplaires, in-8°. Notice anonyme.

1871 *Louise Labé, œuvres*, édition publiée par Ed. Tross, Paris. 1 vol. in-8°, caractères dits de civilité, sans notes et sans notice biographique.

1875 *Louise Labé, œuvres*, publiées avec une étude et des notes par M. Prosper Blanchemain à Paris. 1 vol. in-8°, chez Jouaust.

1887 *Œuvres de Louise Labé*, publiées par Charles Boy à Paris, éd. Lemerre. 2 vol. in-8°.
    1er vol. : les œuvres, le Privilège, le Testament, une bibliographie et quelques notes.
    2e vol. : recherches sur la vie et les œuvres de L. L., avec un glossaire.
    Reste jusqu'à ce jour l'édition la plus complète et la plus documentée, et citée le plus souvent par O'Connor, Larnac, Giudici et Brabant...

1955 *Louise Labé, Il Canzoniere, la disputa di Follia e di Amore.* Traduction et étude d'Enzo Giudici, avec texte et variantes pour les élégies et les sonnets. Parma, Guanda, *editio minor*.

1960 *Evvres de Lovīze Labé, Lionnoize*, édition Club du Libraire, imprimerie Firmin-Didot. 3.500 exemplaires numérotés, avec une préface d'Alain Bosquet.

III. ÉDITIONS PARTIELLES

1578 *Débat de Folie et d'Amour*, inclus dans un volume, édité à Paris chez Jean Parent, avec Privilège (sous les initiales D. L. L.). Dans ce même ouvrage : une traduction de *Daphnis et Chloé* par Amyot; une pièce de poésie : *Louange des eaux* par Mlle des Roches; une œuvre d'Olivier de Magny : *Que faites-vous, mes compagnons ?*

1910 *Elégies et Sonnets*, précédés d'une notice par Tancrède de Visan. Paris, Sansot, 1 vol. in-12.

1920 *Les sonnets de Louise Labé*, édition L. Picha, Paris, in-8°.

1946 *Poésies de la Belle Cordière*, avec des eaux-fortes du peintre Touchagues. Paris, Chamontain, in-8°, 55 pages.

1960 *De Vijfentwintig sonnetten van Louise Labé*, par Luc Van Brabant, édition en flamand chez « Antwerpen de nederlandsche boekhandel », avec notice et commentaires. Édition importante qui a servi de point de départ à une étude considérable sur le point d'être publiée.

IV. Documents anciens

1555 Billon (de) : *Le fort inexpugnable de l'honneur du sexe féminin.* Jean d'Allyer, in-4°, Paris.

1563 *Lois et Ordonnances et Privilèges des Foires de Lyon, Brie et Champagne.* Rouen, in-8°.

1572 *Relations des entrées solenneles dans la ville de Lyon de « nos Rois, Reines et autres grands Personnages » depuis Charles VI jusqu'à présent.* Lyon, in-4°.

1573 Paradin (Guillaume) : *Mémoires pour servir à l'Histoire de Lyon.* A. Gryphus.

1573 Rubys (Claude de) : *Les Privilèges, franchises et immunités... de la ville de Lyon.* A. Gryphus.

1585 Verdier (du) : *Bibliothèques.* Lyon.

1606 Rubys (Claude de) : *Histoire véritable de Lyon.* Lyon, Nugo.

1728 Colonia (le Père) : *Histoire littéraire de la Ville de Lyon.* A Lyon, F. Rigollet, in-4°.

1825 *Archives historiques et statistiques du Rhône,* par Bréghot du Lut. Lyon, in-8°.

1865 *Inventaire sommaire des Archives communales antérieures à 1790. Ville de Lyon.* Steyert et Rolle, in-4°.

1890 Vingtrinier : *Les incunables de la ville et les premiers débuts de l'imprimerie à Lyon.*

V. Études particulières

1746 Ruolz (de) : *Discours sur la personne et les ouvrages de Louise Labé, Lionnoize.* Lyon, in-12; après éloge devant l'Académie de Lyon.

217

1844 GONON (P. M.) : *Documents historiques sur la vie et les mœurs de Louise Labé.* Lyon, in-8º.

1845 SAINTE-BEUVE : *Essai sur Louise Labé.* « Revue des Deux-Mondes », mars 1845.

1926 O'CONNOR (Dorothy) : *Louise Labé, sa vie, ses œuvres*, thèse pour le doctorat de l'Université de Paris. Éditions F. Paillard, in-8º.

1929 VARILLE (Mathieu) : *Les amours de Louise Labé, la Belle Cordière.* Éd. Pierre Masson, in-16.

1934 LARNAC (Jean) : *Louise Labé, la Belle Cordière de Lyon*, une vie romancée mais avec des notes abondantes. Firmin-Didot, Paris.

1944 TRICOU (Georges) : *Louise Labé et sa famille*, publié par Mlle Droz dans « Bibliothèque d'Humanisme et Renaissance », t. V, Paris (selon E. Giudici, une grande partie de cette étude serait encore inédite).

1959 VARTY (Kenneth) : *The Life and Legend of Louise Labé*, étude dans « Nottingham Medieval Studies », t. III.

En préparation :

VAN BRABANT (Luc) : gigantesque étude sur Louise Labé, et à laquelle l'auteur travaille depuis quinze ans.

GIUDICI (Enzo) : thèse en préparation pour le doctorat d'État, une édition critique des œuvres complètes de L. L. devant former la thèse secondaire.

VARTY (Kenneth) : thèse inédite.

KUPISZ (Kazimierz) : thèse dont des extraits auraient été publiés à Lodz en 1959 sous le titre : *Étude sur les sonnets de Louise Labé et leur originalité* (résumé de cet ouvrage polonais par E. Giudici dans « Cahiers d'Histoire »).

VI. ÉTUDES GÉNÉRALES SUR LYON AU XVIᵉ SIÈCLE LA RENAISSANCE ET L'ÉCOLE LYONNAISE DE POÉSIE

1856 MONFALCON (J.-B.) : *Histoire Monumentale de la Ville de Lyon.* Paris, Perrin, in-4°.

1877 BLANCHEMAIN (Prosper) : *Poètes et amoureuses du* XVIᵉ *siècle.* Paris, 2 vol. in-12.

1897 HUVELIN (P.) : *Essai historique sur le droit des marchés et des foires.* Paris, in-8°.

1898 ALARY (J.) : *L'imprimerie au* XVIᵉ *siècle. Étienne Dolet et ses luttes avec la Sorbonne.* Paris, in-8°

1898 LA CLAVIÈRE (Maulde) : *Les femmes de la Renaissance.* Paris, Perrin, in-8°.

1899 GODART (Justin) : *L'Ouvrier en soie*, monographie du tisseur lyonnais, thèse pour le doctorat. Lyon, A. Nicolas (1ᵉʳ volume).

1903 JASINSKI : *Histoire du sonnet en France.* Douai, in-8°.

1906 BAUR (A.) : *Maurice Scève et la Renaissance lyonnaise*, thèse. Paris, Champion, in-8°.

1907 RODOCANACHI : *La femme italienne à l'époque de la Renaissance, sa vie privée et mondaine, son influence sociale.* Paris, Hachette, in-4°.

1908 VAGANAY (H.) : *Le sonnet en Italie et en France au* XVIᵉ *siècle*, essai de bibliographie comparée. Lyon, in-8°.

1917 TRACCONAGLIA : *Une page de l'Histoire de l'Italianisme à Lyon à travers le* Canzoniere *de Louise Labé.* Lodi, in-8°.

1924 AYNARD (J.) : *Les poètes lyonnais, précurseurs de la Pléiade.* Paris, Bossard, in-8°.

1953 SCHMIDT (A.-M.) : *Poètes du* XVIᵉ *siècle*, anthologie commentée. Collection « La Pléiade », Paris, N.R.F.

1961 GIUDICI (E.) : *Du nouveau sur l'École lyonnaise ?* Notes et discussions sur les études les plus récentes. Cahiers d'Histoire, Université de Lyon, tomes VI et VII.

TABLE DES ILLUSTRATIONS

Les documents des pages 27 et 35 sont des photos B. Schreier. Toutes les autres illustrations proviennent des bibliothèques de la ville de Lyon et ont été photographiées par E. Moncorgé.

TABLE

ŒUVRES COMPLÈTES

LE DÉBAT DE FOLIE ET D'AMOUR.

Achevé d'imprimer
le 31 janvier 1966
par   Offset - Aubin
à Poitiers (Vienne).

D.L., 1 - 1966, éditeur n° 1.498, imprimeur n° 1.344.
Imprimé en France.